BUCHER'S
POTSDAM

D1404861

Blick über den Markt auf das ehemalige Alte Rathaus der Stadt.

BUCHER'S
POTSDAM

Fotos: Hauke Dressler
Text: Ulrike Meyer
Jochen Kuke

Kaskadenförmig führt die majestätische Treppe von Schloß Sanssouci vorbei an üppigen Weinbergterrassen.

Inhalt

Türme und Kuppeln bestimmen den Himmel über Potsdam.

Potsdam – Weltgeschichte zwischen Wald und Wasser

Potsdam – eine verträumte Stadt vor den Toren Berlins, beschaulich gelegen inmitten von Seen und ausgedehnten Wäldern. Potsdam – ein Ort mit großer Vergangenheit und ungewisser Zukunft, der immer wieder im Brennpunkt unserer Geschichte stand. Preußens Königen, Deutschlands Kaisern und mit ihnen dem deutschen Vereiniger Bismarck; dem Sozialisten Karl Liebknecht und dem Faschisten Adolf Hitler; den alliierten Siegern Stalin, Churchill und Truman; auch, nur weniger spektakulär, literarischen Größen wie Lessing und Goethe, Heine und Storm – Potsdam diente ihnen allen als Bühne. Die Geschichte hat aus der ehemaligen Slawensiedlung am Ufer der Havel eine durch und durch deutsche Stadt gemacht. Aber auch eine multikulturelle: Holländer und Franzosen, Russen und Tschechen wurden hier schon vor Jahrhunderten bereitwillig beherbergt und erhielten eigene Wohnviertel. So kann der Besucher heute in Potsdam den frühen Wegbereiter für eine gemeinsame europäische Zukunft sehen.

Die nüchterne Toleranz der Preußen, die Andersgläubige und Ausländer immer gerne aufnahmen und somit den wirtschaftlichen Aufschwung ihres Landes begründeten, ist in den vergangenen DDR-Jahrzehnten in Vergessenheit geraten. Nicht als Denkmal für aufgeklärtes Denken, sondern als Mahnmal gegen den Krieg diente die alte Residenzstadt: Vor dem «Geist von Potsdam», der für deutsche Aggression und Großmannssucht stand, wurden die Kinder schon in der Schule gewarnt. Denn Friedrich der Große, dem Potsdam das Schloß Sanssouci verdankt, hatte seine Regierungszeit gleich 1740 mit der Besetzung Schlesiens eröffnet. Wilhelm II., der das Neue Palais nach seinem schlechten Geschmack ausstattete, hatte seinem Land den Ersten Weltkrieg beschert. Und vor allem: 1933 hatte sich der frisch ernannte Reichskanzler Adolf Hitler beim «Tag von Potsdam» in der Garnisonkirche feiern lassen und sich so mit dem Alten Fritz verbrüdert, der dort begraben lag. Gründe genug für die ehemalige DDR-Führung, den «Geist von Potsdam» zu verdammen und die Stadt selbst für ihre unheilbringenden Gäste und Bewohner verantwortlich zu machen.

Jetzt, nachdem die SED-Aera vorbei ist, wird die Empörung der Potsdamer laut und öffentlich – darüber, daß man in ihrer Stadt den bösen Geist der Vergangenheit vernichten wollte, indem man historische Gemäuer zerstörte. 1959 wurde das alte Stadtschloß der Preußen restlos abgetragen, obwohl es – so versichern Einheimische energisch – vom Krieg weniger geschädigt war als beispielsweise das Dresdner Schloß und leicht hätte repariert werden können. Und noch 1968 wurde die berühmt-berüchtigte Garnisonkirche endgültig zerstört; damit ihr «Geist» ja nie auferstehe, wurden die Steine unter Militärschutz an geheimer Stelle deponiert.

Damit allerdings hatte die 145 000-Einwohner-Stadt erstmal genug gebüßt für ihre Vergangenheit. Mit dem ihr eigenen Sinn für symbolträchtige Zeremonien beendete die SED ihren Rachefeldzug und veranstaltete abschließend eine Beerdigung: Quer durch die Stadt wurde im Triumphzug ein Sarg geschleppt, gefolgt von der (zur Teilnahme verpflichteten) Belegschaft der Betriebe. Darin der verhaßte «Geist von Potsdam» nebst einigen Steinen, damit das luftige Gespenst auch wirklich untergehe in der Havel vor der Stadt. Zeugen der eigentümlich skurrilen Veranstaltung erinnern sich heute mit süffisanter Häme, daß sich der Geist seiner Versenkung widersetzte. Die beschwerenden Steine rutschten immer wieder in das eine Ende des Sarges und ließen das andere umso höher aus dem seichten Wasser ragen. Vielleicht, so können wir hoffen, war es die aufgeklärte, fremdenfreundliche Seite des Potsdamer Geistes, die sich gegen den Untergang wehrte. Ihr Denkmal hat sie im Holländischen Viertel gefunden, gegen dessen Abriß die Potsdamer später mit Erfolg kämpften.

Daß die SED die ungeliebte preußisch-deutsche Vergangenheit ausgerechnet in der Havel abladen wollte, entbehrte nicht der Logik. Denn vor allem dem Fluß, der Potsdam zusammen mit Seen und Kanälen die idyllische Insellage beschert, verdankt die Stadt das Scheinwerferlicht der Geschichte: Als die Hohenzollern sie vor mehr als 300 Jahren zur Residenzstadt erkoren, hatten sie sich den weit und breit schönsten Platz ausgesucht.

Sogar die Natur zeigt Sinn für Zucht und Ordnung. Daß sich diese preußischen Tugenden im Park von Sanssouci erhalten haben, läßt erahnen, mit welch planerischer Sorgfalt der Rokokogarten gepflegt und angelegt wurde. Vom Verwaltungsgebäude im Hintergrund führt der Fußweg durch die Allee über die Große Fontäne zu den Weinbergterrassen.

Der antiken Mythologie nachempfunden sind diese beiden Statuen, die Venus (links) und Merkur (rechts) darstellen. Sie stehen am Fuße des Weinbergs, auf dessen Gipfel Schloß Sanssouci thront.

Die Havelresidenz –
Entdeckung des Großen Kurfürsten

Zu Füßen der Langen Brücke, die Potsdams altes Zentrum mit dem Stadtteil Babelsberg verbindet, liegen bauchige Ausflugsschiffe im Havelwasser. Die «Weiße Flotte» hat sich zum Ziel gesetzt, den ursprünglichen Reichtum der Region vorzuführen – ihren zu vielen «Seen» ausgebuchteten Fluß. Es geht zum West-Berliner Wannsee: unter der Glienicker Brücke hindurch, auf der einst die enttarnten Spione zum Tauschobjekt wurden und die nun auch für harmlose Bürger keine unüberwindbare Barriere mehr ist. Oder es geht gar einmal um die «Insel Potsdam» herum: vorbei an Villen und Wochenendhäusern, deren Bewohner die Wasserlage ihrer Grundstücke nicht genießen konnten, weil – quer durch ihren Garten – «die Mauer» sie vom Ufer abschnitt.

Die Wälder rund um Potsdam zeigen sich, von welchem der vielen Havelseen auch immer gesehen, stets von ihrer schönsten Seite. Potsdam – die Stadt im Grünen und am Wasser. Markierte Wanderwege und Naturlehrpfade, insgesamt 220 Kilometer lang, führen durch Gehölze, in denen Rehe und Füchse, Dachse und sogar Wildschweine leben. Mäusebussard, Roter

Milan und Habicht sind hier zu Hause; selbst Fischottern und Sumpfschildkröten verspricht uns der offizielle «Potsdamer Wanderführer».

Die landschaftlichen Reize dieser Gegend, in deren Wäldern es sich vortrefflich jagen ließ, bewogen schon vor fast 350 Jahren den Großen Kurfürsten, hier am Ufer der Havel seine zweite Residenz zu errichten. Er ermöglichte Potsdam damit große Auftritte im Weltgeschehen. Doch die eigentliche Geschichte der Stadt begann viel früher. 1993 feiert sie das 1000. Jubiläum ihrer ersten urkundlichen Erwähnung. Im Jahr 993 hatte Otto III. der Äbtissin Mathilde von Quedlinburg den kleinen Ort «Poztupimi» geschenkt – in dem allerdings seit der Völkerwanderung slawische Heveller lebten, die sich erbittert gegen die deutschen Eroberer wehrten und erst 1157 vertreiben ließen. Rund 150 Jahre später erhielt Potsdam das Stadtrecht.

1660, als der Große Kurfürst auf die Stadt und ihre Wälder aufmerksam wurde, hatte Potsdam gerade den Dreißigjährigen Krieg und die Pest überstanden: Nur noch 79 Familien lebten dort – vor allem vom Fischfang. Da das Schloß, das sich Friedrich Wilhelm von Brandenburg dort am Flußufer errichten ließ, die SED-Jahre nicht überlebt hat, bleibt uns nur der Blick

in den «Neuesten und vollständigsten Wegweiser durch Potsdam für Fremde und Einheimische» von 1841: «Das Königliche Residenzschloß liegt zwischen dem Alten Markt und dem Lustgarten und ist ein längliches Viereck mit drei Stockwerken, dessen Bau 1660 von Giese begonnen und nach seinem Tod 1673 von Menhard beendigt wurde», steht dort geschrieben. «Das dritte Stockwerk der Seitenflügel und andere wesentliche Veränderungen, wie zum Beispiel die Marmortreppen im Inneren, verdankt das Gebäude Friedrich dem Großen».

An die Stelle des abgetragenen Preußenschlosses hat sich die SED ihr eigenes Denkmal gesetzt: ein Fußballstadion und das «Interhotel Potsdam», einen hochgeschossenen Betonklotz, der die moderne DDR verkörpern sollte. Von der alten Residenz ist nur ein langgestrecktes Gebäude geblieben, das Ende der 70er Jahre in warmen Rot- und Gelbtönen frisch herausgeputzt wurde: die Orangerie, die der Große Kurfürst 1685 von J. H. Nering errichten ließ und die schon 1714 zum Marstall umfunktioniert wurde. Die barocke Pracht verdankt das repräsentative Bauwerk allerdings erst dem Architekten Knobelsdorff, der es 1746 im Auftrag Friedrichs des Großen umbaute. Heute birgt der Marstall, dessen Fassade üppige Skulpturen

von F. C. Glume schmücken, das Filmmuseum. Dort wird mit Plakaten, Starfotos und Requisiten der alten UFA und ihrer ausländischen Konkurrenten, aber auch ihrer DDR-Tochter DEFA gedacht. Und Kameras wie auch Projektoren illustrieren den Weg, den die Filmtechnik nahm, seit die Bilder laufen lernten.

Damals, als Friedrich Wilhelm von Brandenburg Potsdam zur Hohenzollern-Residenz erkor, war sein Land vom Dreißigjährigen Krieg verwüstet. Aber der Große Kurfürst setzte alles daran, seinen Nachfolgern dennoch ein lohnendes Erbe zu hinterlassen. Am 8. November 1685 erließ er das «Edikt von Potsdam», das Glaubensflüchtlingen Asyl gewährte. Mehr als 20 000 französische Hugenotten, die durch die Aufhebung des «Edikts von Nantes» aus ihrer Heimat vertrieben worden waren, kamen daraufhin nach Brandenburg. Und sie erreichten genau das, was sich der nüchtern kalkulierende Kurfürst von ihnen versprochen hatte: Durch das Geschick und den Fleiß dieser Handwerker erlebte die Wirtschaft einen gewaltigen Aufschwung. Das machte es den Nachkommen des Kurfürsten leicht zu sagen, daß in Preußen «jeder nach seiner Façon selig werden» solle – die liberale Einwanderungspolitik zahlte sich Generationen lang in klingender Münze aus.

11

Was Friedrich Wilhelm von Brandenburg nicht gelang, erreichte sein Sohn Friedrich I.: Er verschaffte den Hohenzollern 1701 den preußischen Königstitel. Allerdings hätte sich damals kein Potsdamer, kein Brandenburger als «Preuße» bezeichnet. Denn das waren die Bewohner jener fernen Ostprovinz des Kurfürstentums, die mit den Balten eng verwandt und mit den Slawen verschwägert waren. Weil aber im Deutschen Kaiserreich keine Königskrone zu vergeben war, hatte sich der Brandenburger Kurfürst seine ehemals polnischen Besitzungen in Ostpreußen zunutze gemacht. Doch da ihm nur ein Teil Preußens gehörte, durfte sich Friedrich I. nur «König in Preußen», nicht «von Preußen» nennen – sehr zur Belustigung der anderen europäischen Herrscherhäuser.

Die Brandenburger Straße – Garnisonstadt des Soldatenkönigs

Zur Hochzeit seines Sohnes ließ der prunkverliebte König Friedrich I. 640 Kälber und 100 Ochsen, 1102 Puten, 650 Enten und je 1000 Gänse und Tauben auftischen. Dem Bräutigam, dem späteren Soldatenkönig, wird das nicht gefallen haben: Mit dem Anspruch spartanischer Sparsamkeit übernahm Friedrich Wilhelm I. 1713 das Regiment über sein Königreich – und war damit ein belächeltes Unikum unter Europas Monarchen, die sich in barocker Lebenslust gefielen.

Dem Soldatenkönig verdanken die Potsdamer ein zwiespältiges Erbe. Nicht nur, daß er ihnen die «preußischen Tugenden» bescherte, indem er sie mit harter Hand zu Disziplin und Gehorsam zwang, und ihnen damit ein Image verlieh, mit dem sich manch einer von ihnen gerade heute nicht mehr identifizieren mag. Vor allem machte Friedrich Wilhelm I. ihr Potsdam zur Garnisonstadt. Und das ist es bis heute geblieben.

Sein hartnäckig aufgestocktes Heer unterzubringen, bereitete dem Soldatenkönig einiges Kopfzerbrechen. Hatte er seine Grenadiere doch oft unter dubiosen Umständen im Ausland anwerben lassen. Doch der König wußte Verschwörung und Meuterei zu verhindern, indem er gleichzeitig Kasernenkosten sparte. Er verpflichtete Potsdams Bürger, die Soldaten in ihren Dachstuben zu beherbergen. Das nehmen ihm die Potsdamer heute nicht mehr übel. Denn die Brandenburger Straße mit ihren pastellfarben getünchten Traufenhäusern (erbaut 1733–39) haben sie zu ihrem «Broadway» ernannt. Sie erfreuen sich jetzt am Anblick der zweistöckigen Gebäude mit ihren Giebelstuben, in denen einst Friedrich Wilhelms Soldaten hausten. Damals marschierte allabendlich ein Aufseher die Straße entlang und kontrollierte, ob die Gefreiten –

die pünktlich hinter ihren Giebelfenstern strammzustehen hatten – auch allesamt zu Hause waren. Heute drängen sich flanierende Bürger in der Fußgängerzone, deren historische Fassaden behagliche Kleinstadtatmosphäre schaffen. Die Potsdamer lieben ihren «Broadway» mit seinen kleinen Läden, den Straßenständen, Imbißstuben und den Cafés, die sich im Sommer in lebhafte Straßencafés verwandeln. Deshalb war es ihnen wichtig, daß ihr Boulevard gleich nach dem Ende der SED-Zeit wieder zur Brandenburger Straße wurde – nachdem er zwischendurch den Namen des tschechischen Kommunisten Klemens Gottwald getragen hatte.

An die vielen Soldaten, die seit Friedrich Wilhelms Zeiten in der Stadt zu Gast sind, haben sich die Potsdamer bis heute nicht gewöhnen mögen. Schon 1774, unter Friedrich dem Großen, gab es hier 139 Kasernen und Militärgebäude. Seit dem Zweiten Weltkrieg sind darin die «Freunde» untergebracht, wie die Einheimischen ihre sowjetischen Beschützer mit deutlichem Unterton nennen. «Vorsicht Auto» steht mit ungelenker Schrift auf den roten Schildern geschrieben, die im Norden der Stadt die Ausfahrten der Grundstücke markieren. Dort reiht sich hinter hohen Mauern eine russische Kaserne an die nächste. Gleich nebenan, in maroden Wohnblocks, leben die Familien der Offiziere.

Ins Stadtzentrum, auf die Brandenburger Straße, verschlägt es die sowjetischen Soldaten mit ihren Pelzkappen und den ausladenden Schirmmützen selten; sie bleiben lieber unter sich. Denn anders als zu Friedrich Wilhelms Zeiten, als die ausländischen Gefreiten auf Privatquartiere verteilt wurden, ist es den Sowjets strengstens untersagt, Kontakt zur Zivilbevölkerung zu pflegen. Kein Wunder also, daß die Beziehung der Potsdamer zu ihren «Freunden» alles andere als eng ist – obwohl sich ihre Staaten so verbrüdert gaben. Auch das Militärwaisenhaus, das der Soldatenkönig für all die unehelich gezeugten Kinder seiner Grenadiere bauen ließ, kann längst als «Haus der Gewerkschaften» dienen. Denn darin sind sich die Einheimischen und ihre unfreiwilligen Gäste einig: Man freut sich schon auf deren Rückkehr in die Heimat – auf den endgültigen Abschied.

Sanssouci – Friedrich der Große zwischen Kunst und Krieg

Weite Wiesen, auf denen dann und wann ein Reh äst; Gruppen uralter Bäume, hinter denen Schlösser und Tempel durchscheinen; Bäche, die schlängelnd ihren Weg gefunden haben; Wasserspiele und lebensgroße Figuren aus der griechischen Mytho-

Ein Stück privater Abgeschiedenheit wünschte sich der Alte Fritz mit seinem «Schloß Sorgenfrei». So ist eine Parkanlage entstanden, die nicht in erster Linie renommieren, sondern das Gemüt aufheitern will. Wasserspiele wechseln sich ab mit Laubengängen, und der eingeschossige Rokokobau bettet sich harmonisch ein in die Landschaft.

logie – der 300 Hektar große Park von Sanssouci atmet, scheinbar fern der Welt, den Frieden, den Friedrich der Große darin suchte. Und doch wandeln wir heute meist auf anderen Wegen als der Alte Fritz, dessen Erben den Garten Anfang des 19. Jahrhunderts gründlich umgestalten ließen: Friedrich II. bevorzugte die wohlgeordnete Symmetrie barocker Grünanlagen. Beim Entwurf seines Lieblingsschlosses Sanssouci hingegen ließ er sich nicht von den Franzosen und Versailles beeindrucken. Die Prunksucht seiner königlichen Kollegen war ihm zuwider; seine geliebte Rokoresidenz, die er sich von Knobelsdorff bauen ließ, bot ihm statt üppiger Zimmerfluchten eine innige Verbundenheit zur Natur.

«An demselben Tage, an welchem Friedrich der Große den zweiten schlesischen Krieg mit dem Einfall in Böhmen eröffnete, dachte sein großer Geist schon wieder an die Ruhe und die Segnungen des Friedens. Am 10. August 1744 erließ er von Berlin aus die Cabinetsordre, wodurch er befahl, den Königlichen Weinberg vor dem Brandenburger Thore von Potsdam zu terrassieren. Am 14. April des folgenden Jahres wurde auf der Höhe dieser Terrassen der Grundstein zum Schlosse von Sanssouci gelegt», erzählt uns der Reiseführer von 1850, der unter dem Titel «Einen Nachmittag in Sanssouci! Genaue Anweisungen für Fremde» die Touristen belehrte.

Heute noch rankt der Wein auf den breiten Terrassen, die vom Park aus zum königsgelben Schloß aufsteigen; an diesem Südhang trägt er sogar Früchte. Hinter Glastüren, die in den Berg eingelassene Nischen im Winter vor der Kälte schützen, gedeihen Feigen. Und von oben, vom Schloß, blicken Bacchus und sein lebensfrohes Gefolge in den Garten hinab – Plastiken von Glume, welche die hochaufragenden Fenster rahmen. «Ohne Sorgen» wollte Friedrich II. auf dem Weinberg, in seinem «Sanssouci», leben. Der marmorne Mars, der im Vestibül die Besucher begrüßt, hat die Waffen abgelegt; die goldenen Stuckreliefs zeigen tanzende Nymphen. Die großen Kriege sollten außenvor bleiben; hier wollte Friedrich lesen und musizieren und mit seinen Gästen philosophieren. Im ovalen Marmorsaal, durch dessen weit geöffnete Türen der Blick über den Park schweifen konnte, saß er mit seinen Besuchern zu Tisch. In reiner Männerrunde wohlgemerkt – für Frauen war Sanssouci tabu. Stets parlierte man französisch; der deutschen Sprache, auch ihrer Literatur, vermochte Friedrich nichts abzugewinnen. Daß Lessing im Februar und März 1755 in Potsdam zu Gast war, um hier mit «Miss Sara Sampson»

Deutschlands erstes bürgerliches Trauerspiel in Ruhe zu vollenden, das nahm der König nicht zur Kenntnis. Genauso wenig wie Goethes Besuch an der Havel im Jahr 1778.

In Sanssouci wollte sich Friedrich II. einen Teil des Lebens bewahren, das er als Kronprinz in Rheinsberg geführt hatte. Als Schöngeist hatte er damals gegolten; militärische Disziplin war ihm zuwider. Doch kaum hatte er 1740 den preußischen Königsthron erklommen, da offenbarte er seine bislang unbekannte Seite. Anders als sein Vater, der Soldatenkönig, der sein Heer liebte und doch nicht einsetzte, wollte sich der junge König sogleich als Feldherr profilieren. Sein Ziel: die versprengten kleinen Ländereien zu einem einzigen großen Land zusammenzuführen und das entlegene Königreich Preußen mit seinem kurfürstlichen Stammsitz Brandenburg zu vereinen. Als der Alte Fritz 1786 in dem klobigen Sessel starb, der heute noch in Sanssouci zu sehen ist, war sein Reich zur europäischen Großmacht geworden. Die Zahl seiner Untertanen, fast fünfeinhalb Millionen Menschen, hatte sich mehr als verdoppelt; sein Land war von 120 000 auf knapp 200 000 Quadratkilometer angewachsen – vor allem auf Kosten von Österreich und Polen. Und natürlich auf Kosten seiner Untertanen, denen er zahl-

reiche Kriege bescherte – aber auch wirtschaftlichen Aufschwung und eine erstaunlich unparteiische Justiz. Ein Denkmal für diesen aufgeklärten Gerechtigkeitssinn errichten derzeit Potsdams Handwerker: Sie bauen die alte Mühle wieder auf, deren Besitzer einst gegen den König höchst selbst die Erlaubnis erstritt, sein Geschäft unmittelbar neben Sanssouci fortführen zu dürfen. Daß Friedrich der Große dieses Urteil erlaubte und auch akzeptierte, war seinerzeit geradezu revolutionär.

Wenn Sanssouci den musisch und philosophisch interessierten Friedrich verkörpert, der auch Voltaire nach Potsdam holte, und die Mühle den aufgeklärten Staatsmann, der sich als «erster Diener seines Staates» begriff, dann steht das Neue Palais für den Kriegsherren. Als Repräsentationsschloß ließ Friedrich II. 1763 den spätbarocken Prachtbau (von Büring, Manger und von Gontard) errichten – möglichst weit entfernt von Sanssouci, am anderen Ende des Parks. Denn wenngleich er selbst derartigen Protz nicht mochte: Nach dem Siebenjährigen Krieg mußte dem Volk und der Welt bewiesen werden, daß Preußens Kassen unerschöpflich waren. 240 Meter lang ist der klotzige, dreigeschossige Bau, dessen Flügel einen Ehrenhof bilden. Doch in den prächtig geschmückten Räumen weilten erst Friedrichs Nachfolger. Wilhelm II., Deutschlands letzter Kaiser, ließ dort eine Heizung legen und Badekabinette, mit Delfter Kacheln ausgekleidet, einrichten. Er war es auch, der den Grottensaal, ursprünglich ein sparsam geschmückter Raum mit Fensterfront zum Garten, mit 90 000 Mineralien, Halbedelsteinen und Fossilien überlud und so zum bombastischen Kitschtempel machte. Der Alte Fritz hingegen blieb dem bescheidenen Sanssouci treu – im Neuen Palais residierten nur seine Gäste.

Das Holländische Viertel – Die Weltoffenheit der Preußen

Auch jenseits der königlichen Gärten hat Friedrich der Große seinem Potsdam ein bauliches Erbe hinterlassen: In der bis dahin eher unscheinbaren Stadt ließ er ganze Häuserzeilen repräsentativer Bürgerhäuser bauen. Das barocke Brandenburger Tor, Namensvetter von Deutschlands symbolträchtigstem Bauwerk, eröffnet heute noch mit großer Geste die Brandenburger Straße – 1770 ließ Friedrich II. es von Unger und von Gontard als römischen Triumphbogen aufstellen. Am Alten Markt, der damals dem Stadtschloß gegenüber lag, steht neben dem Knobelsdorff-Haus von 1750 ein Barockbau mit korinthischen Dreiviertelsäulen, den J. Boumann d. Ä. 1753 nach Amsterdamer Vorbild schuf. Auf der gestuften Kuppel des Hauses schleppt sich heute noch ein goldener Atlas mit der Weltkugel ab; in dem stämmigen Turm, auf dem er thront, befand sich bis 1875 das städtische Gefängnis. Inzwischen ist in dem ehemaligen Rathaus mit der rosafarbenen Fassade ein Kulturzentrum untergebracht. Doch seitdem das Stadtschloß den Alten Markt nicht mehr abschließt, dem Friedrich mit einem Obelisken den letzten Schliff gab, ist das von ihm geschaffene Ensemble zerstört. Vielspurige Straßen zerschneiden den Platz rund um die Nikolaikirche, und rücksichtslose Bauherren haben dort mit unansehnlichen Neubauten die Lücken geflickt. Den gewaltigen Betonklotz, der den Alten Markt nun dominiert, konnte die SED allerdings nicht mehr vollenden: Ein kolossales Theater-Hochhaus sollte dort entstehen, doch nach dem 9. November 1989 konnten die Proteste der Potsdamer das Projekt stoppen. Jetzt soll eine neue Ausschreibung dafür sorgen, daß die monströse Betonruine möglichst unauffällig vollendet wird – ein nahezu aussichtsloses Unterfangen.

Gerade noch rechtzeitig fanden die Stimmen der Potsdamer Gehör, die sich für die Erhaltung des Holländischen Viertels stark machten: Denn auch die 134 roten Backsteinhäuser mit ihren geschwungenen Giebeln hätten Neubauten Platz machen sollen.

Ein Jahr vor dem Regierungsantritt Friedrichs II. hatte der holländische Architekt Boumann mit dem Bau des Viertels begonnen. 1742 war es vollendet. Der Niederländer sollte hier seinen Landsleuten ein heimatliches Ambiente schaffen, um sie so nach Potsdam zu locken – die Preußen hofften, auf diese Weise fähige Handwerker zu gewinnen. Ein Gutteil des Viertels ist heute baufällig; gleich nach dem Zusammenbruch des SED-Regimes knüpften Potsdams Oppositionsgruppen deshalb Kontakt zu Kreuzberger Instandbesetzern, mit deren Hilfe sie einige der Häuser vor weiteren Schäden bewahren konnten. Wie es hier aussehen könnte, zeigen die wenigen restaurierten Gebäude: Hinter den grün und weiß gestrichenen Fensterläden sind vom Geigenbauer bis zum Uhrmacher wieder Handwerker eingezogen.

Nur wenige Niederländer sollen damals, nach der Fertigstellung des Holländischen Viertels, dem Ruf Friedrichs II. gefolgt sein. Erfolgreicher war sein Werben um die böhmischen Weber und Spinner, die er an die Havel holte. Nowawes nannten sie ihr Viertel, das heute zum Stadtteil Babelsberg gehört. Rund um die Friedrichskirche, die J. Boumann 1752 auf dem Weberplatz erbaute, gruppierten sich ihre ebenerdigen Häuser. Viele davon sind bis heute erhalten; schlicht und grau säumen sie Kopfsteinpflasterstraßen und Sandwege – in Alt-Nowawes scheint die Zeit stehengeblieben zu sein.

Das Marmorpalais – Der neue Garten Friedrich Wilhelms II.

In Potsdams Nordosten, hinter dem Nauener Tor, liegt langgestreckt der Neue Garten mit alten Bäumen und gewundenen Pfaden. Gleich als der Neffe und Nachfolger Friedrichs des Großen 1786 die Regierung übernahm, ließ er dort, am Ufer des Heiligen Sees, einen Park anlegen. Anders als sein Onkel, der in Sanssouci eine barocke Grünanlage besaß, war Friedrich Wilhelm II. ein begeisterter Freund der englischen Gartenkunst, die gerade in Mode kam: Er wünschte sich einen möglichst natürlich wirkenden Park; seine Nachfolger ließen später diesen Landschaftsgarten noch verfeinern. Bequemen Besuchern erspart inzwischen eine asphaltierte Straße den Fußmarsch durch den Park.

Die Betonmauer, die fast 30 Jahre lang die Grenze zu West-Berlin markierte und den Neuen Garten vom Havelufer abschnitt, ist jetzt eingerissen. Dort in der Havel zu baden – wie es auch zahlreiche Strandbäder rund um Potsdam nahelegen – empfiehlt sich allerdings nicht. Dazu ist der Heilige See besser geeignet, denn er ist sauberer als der Fluß. Zudem sorgt das Mar-

Blick durch den Triumphbogen auf das spätbarocke Neue Palais, das vor allem als maßlos übersteigertes Prestigeobjekt Friedrichs des Großen in die Geschichte einging.

Sinnbild für Preußens Pracht und Gloria – das Neue Palais am westlichen Ende des Parks.

morpalais am Heiligen See für eine wirklich königliche Kulisse. Direkt am Ufer ließ Friedrich Wilhelm II. sein Schloß im Neuen Garten 1787–91 von seinem Architekten von Gontard bauen. Heute dient es einem Zweck, der inzwischen aus der Mode ist: Das frühklassizistische Palais mit seinem Säulenvorbau zur Seeseite beherbergt das Armeemuseum.

Die Vorliebe Friedrich Wilhelms II. für den Klassizismus hat sich auch auf Sanssouci niedergeschlagen. Kaum daß sein Onkel, Friedrich der Große, gestorben war, wurde – als einziger Raum dort – dessen Schlaf- und Sterbezimmer entsprechend umgestaltet. Auch dem Heer, das er von seinem Oheim erbte, soll Friedrich Wilhelm II. nicht sonderlich viel abgewonnen haben; Kenner meinen, daß die Disziplin unter seiner Regierung bereits nachließ. Dem Dichter, der damals in der Armee diente, wurden seine sieben Potsdamer Soldatenjahre im Garderegiment dennoch zum Alptraum: Heinrich von Kleist behielt die Zeit, die er zwischen 1792 und 1799 hier verbrachte, in schlechtester Erinnerung.

Kolonie Alexandrowka –
Die Umgestaltungen Friedrich Wilhelms III.

Gelassene Ruhe strömt der Bornstedter Friedhof aus, beschauliches Andenken an Potsdams vergangene Jahrhunderte, die hier bruchlos in die Gegenwart münden. Unter hohen Bäumen stehen historische Grabmale und Ruhestätten von heute in einträchtiger Nachbarschaft; Unkraut wuchert über vergessenen Gräbern, frisch restaurierte Steine finden sich neben Grabstätten, die in noch lebendigem Andenken gepflegt werden. Nach Sanssouci ist es nicht weit. Die Nähe zum Schloß ließ hochgestellte Persönlichkeiten hier ihre Ruhestatt wählen – vom «Geheimen Kämmerier Friedrich Wilhelms III., der dem König 56 Jahre diente» bis hin zu Potsdams bedeutenden Architekten, von Königlichen Kammerherrn und Stiftsdamen bis hin zu den Hofpredigern der Friedenskirche. Den Generationen von Hofgärtnern, die Potsdams Anlagen insgesamt 200 Jahre pflegten, ist gar eine eigene Abteilung gewidmet. Hier ist auch Peter Joseph Lenné bestattet, der Generaldirektor der Königlichen Gärten, der Potsdams Parks binnen 50 Jahren ihr heutiges Antlitz gab. Nicht nur, daß er sämtliche Schloßgärten nach englischem Vorbild erneuerte; 1833 entwickelte er gar einen «Verschoenerungsplan der Umgebung von Potsdam», mit dem er die gesamte «Insel Potsdam» einschließlich der benachbarten Dörfer landschaftlich veredeln wollte.

Bei Friedrich Wilhelm III., der 1797 den Thron bestiegen hatte, fand er damit größten Beifall. Als sich der Bonner Lenné 1816 in Potsdam bewarb, lag eine schwere Zeit hinter Preußen. Napoleon hatte gerade ganz Europa aufgemischt und war 1806 mit Siegerpose auch in Sanssouci eingezogen. Bis 1807 haben die Franzosen in Potsdam Quartier bezogen, was die Bürger, die sie zu verpflegen hatten, teuer zu stehen kam. 1812 dann zogen die Preußen mit Napoleon gegen Rußland. Aus den 500 Kriegsgefangenen, die Friedrich Wilhelm III. dabei machte, ließ er 62 sangestüchtige Soldaten wählen – um aus ihnen einen russischen Chor zu formieren. Kurz darauf schlug er sich auf die Seite des Zaren; die Sänger durfte er zum Dank behalten. Doch bald war der Chor entschieden dezimiert. Gartendirektor Lenné wurde beauftragt, eine weitläufige Anlage in Form eines Andreaskreuzes zu entwerfen, dessen Enden er durch gebogene Alleen verband: Um wenigstens die letzten zwölf Russen bei der Stange zu halten, ließ ihnen Friedrich Wilhelm III. 1826 im Norden vor der Stadt eine eigene Siedlung bauen. Die Fachwerkhäuser der «Kolonie Alexandrowka» wurden mit dunklem Holz als Blockhäuser verkleidet; kunstvolle Schnitzereien, die Dächer und Fenster säumen, sollten ihnen ein typisch russisches Aussehen verleihen.

Heute noch leben in zweien der Häuser, die sich mit ihren großen Gärten entlang des geschwungenen Weges aufreihen, die Nachfahren der russischen Sänger. Allerdings: Auf Ivan und Pavel sind inzwischen Joachim und Otto Grigorieff gefolgt – aus den Russen sind längst Potsdamer geworden. Die rosa getünchte Kapelle, die oberhalb ihrer Siedlung auf einem Hügel liegt, werden sie deshalb kaum mehr besuchen. Denn die Alexander-Newski-Kirche, die Karl Friedrich Schinkel 1829 nach Petersburger Plänen entwarf und in deren ikonengeschmücktem Inneren heute russische Gesänge vom Band ertönen, ist immer noch russisch-orthodox ausgerichtet. Obwohl sie kaum mehr als zwei Dutzend Besucher faßt, hat sie seit 1986 sogar wieder einen eigenen Priester. Der wurde eigens aus Minsk geschickt und wohnt nun gleich neben seiner kuppelgeschmückten Kapelle.

Der Architekt Schinkel und der Landschaftsplaner Lenné, die sich in der Kolonie Alexandrowka im russischen Stil bewähren mußten, waren das Lieblingsgespann Friedrich Wilhelms III. Jeder für sich gehörte zu den bedeutendsten Vertretern seiner Zunft im 19. Jahrhundert; in Potsdam fanden sie ein weites Wirkungsfeld. Dabei war auch das Erbe Friedrichs des Großen kein Tabu: Die Französische Kirche am Bassinplatz, die Friedrich II. seinen hugenottischen Untertanen aus Frankreich 1752 spendiert hatte, gestaltete Schinkel 1832 im Auftrag Friedrich Wilhelms III. klassizistisch um. Schon 1826 hatte er den Neubau der Niko-

Kühle Eleganz und glanzvolles Dekor im Inneren des Neuen Palais – der Marmorsaal, einer von 200 Räumen, erstreckt sich über zwei Etagen. Die großen Gemälde an den Wänden stammen aus Frankreich. Friedrich der Große hatte sie in Auftrag gegeben, noch bevor mit dem mächtigen Gebäudekomplex begonnen wurde.

laikirche am Alten Markt besorgt, die 1795 abgebrannt war. Sein quadratischer klassizistischer Zentralbau mit den vier Glockentürmen, dessen gewaltige Mittelkuppel den Blick der Besucher schon von weitem auf sich zog, wurde zum Wahrzeichen der Stadt; heute überragen das Interhotel Potsdam und der Theaterneubau die grüne Kupferkuppel der Kirche.

Doch obwohl Friedrich Wilhelm III. Potsdam gründlich umgestalten ließ: Heinrich Heine, der hier 1829 den dritten Teil seiner «Reisebilder» vollendete, gefiel die Stadt gar nicht – er sah nur «öde Straßen».

Schloß Charlottenhof – Das Kleinod Friedrich Wilhelms IV.

Das eierschalenfarben gestrichene Schloß Charlottenhof mit seinen Säulen und der Symbiose aus runden und eckigen Formen verbindet klassizistische Strenge mit beschwingtem Charme. Die große Terrasse, die eine Rundbank nach antikem Vorbild abschließt, ist zum Teil von einer Pergola überdacht. Dort konnten die Bewohner des Palais flanieren und den Blick über den Landschaftspark schweifen lassen, bis hin zum Neuen Palais, das in der Ferne durch die Baumgruppen schimmert. Gemeinsam hatten sich

Schinkel und Lenné 1826 ans Werk gemacht, als der älteste Sohn Friedrich Wilhelms III., der Kronprinz Friedrich Wilhelm, ein eigenes Schloß nahe Sanssouci erhalten sollte. Genau wie sein berühmter Ahne, Friedrich der Große, steuerte der Kronprinz dazu eigene Entwurfsskizzen bei, die Schinkel – wie Knobelsdorff bei Friedrichs Sanssouci – nach Kräften überarbeitete.

Das Schloß Charlottenhof wurde ein Lieblingsort des Kronprinzen – und blieb es auch, als er 1840 als Friedrich Wilhelm IV. seinem Vater auf den Königsthron folgte. Er ließ sein Palais nicht repräsentativ, sondern bequem und familiär einrichten. Das zeltförmige, mit blauweißem Stoff drapierte Zimmer, das er ursprünglich den Hofdamen zugedacht hatte, beherbergte zwischen 1835 und 1840 häufig einen prominenten Gast: den Forscher und Humanisten Alexander von Humboldt, der dem Vater des Prinzen als Kammerherr diente. Im Rathaus am Alten Markt, unter dem goldenen Atlas, nahm der Gelehrte 1859 den Ehrenbürgerbrief von Potsdam an. Weit weniger Hochachtung erfuhr Theodor Storm, der im Dezember 1853 eine Wohnung in der Brandenburger Straße bezogen hatte. Der Dichter, der als Assessor zum Potsdamer Kreisgericht kam, erlebte hier drei schwere

Jahre: Er hatte ständig Geldprobleme und kam in Potsdam kaum zum Schreiben.

Wenn heute im Park von Sanssouci die Fontänen sprudeln, so ist das Friedrich Wilhelm IV. zu danken. Friedrich der Große hatte sie sich einst gewünscht und doch nur eine Stunde lang in Aktion gesehen: Seine Baumeister hatten Schwierigkeiten, das Havelwasser zur Anhöhe über seinem Lieblingsschloß zu pumpen. Die hatte der Alte Fritz mit einer dekorativen Ruine schmücken lassen und von hier aus sollten die Fontänen unten im Park gespeist werden.

Jahrzehntelang hatten die Wasserspiele danach stillgelegen, bis Friedrich Wilhelm IV., sogleich nach seiner Thronbesteigung, 1841 den Bau eines Wasserwerks befahl. Er machte sich dabei eine Erfindung zunutze, von der schon sein Vater profitiert hatte: Friedrich Wilhelm III. hatte 1816 das erste Dampfboot auf der Havel zu Wasser gelassen und 1838 die Eisenbahnlinie Berlin–Potsdam, die dritte deutsche Strecke, eröffnet; Friedrich Wilhelm IV. setzte eine Dampfmaschine ein, um seine Fontänen zu speisen. Indem er das Pumpwerk unten an der Havel als maurische Moschee und dessen Schornstein als Minarett verkleiden ließ, vermachte Friedrich Wilhelm IV. den Potsdamern eines ihrer eigentümlichsten Bauwerke.

Schloß Babelsberg – Die historische Entscheidung Wilhelms I.

Gelber Backstein und helle Stukkaturen, Burgzinnen und metallgegossene Geländer, gotischen Rosetten nachempfunden: Wie ein englischer Landsitz gibt sich Schloß Babelsberg, gegenüber von Potsdams Zentrum gelegen, auf der anderen Havelseite in einem 124 Hektar großen Park. Statt Löwen halten zwei steinerne Hunde treuherzig Wache. Der englische Garten ringsum ist längst zu einem lichten Wald voller Vogelgezwitscher zusammengewachsen; hohe Laubbäume behindern den Blick aufs Wasser, zu dem sich ein Weg durch eine gemähte Wiese hinabwindet. Schon 1811 hatte sich Prinz Wilhelm in dieses hügelige Gelände jenseits des Flusses verliebt. Doch erst 1833 erlaubte ihm der Vater, Friedrich Wilhelm III., hier den Bau eines Schlosses. Wie sein älterer Bruder, der sich das Schloß Charlottenhof hatte bauen lassen, bat Prinz Wilhelm Schinkel und Lenné um Entwürfe. Sie gänzlich zu verwirklichen, fehlte ihm das Geld: Erst als sein kinderloser Bruder 1840 dem Vater auf den Thron folgte und er selbst zum Kronprinzen aufstieg, konnte Wilhelm seinem Schloß und dem Park eine repräsentative Form geben lassen.

Schloß Babelsberg blieb Wilhelms Lieblingsort, auch als er seinen – inzwischen geistig verwirrten – Bruder 1861 auf dem Königsthron ablöste und Wilhelm I. wurde. Hier sollte er auch seine folgenreichste Entscheidung fällen: Im September 1862, nachdem er sich endgültig mit dem (zwölf Jahre zuvor installierten) Parlament zerstritten hatte, rief Wilhelm I. Otto von Bismarck nach Babelsberg. «Ich finde keine Minister mehr, die bereit wären, meine Regierung zu führen, ohne sich und mich der parlamentarischen Mehrheit zu unterwerfen. Ich habe mich deshalb entschlossen, die Regierung niederzulegen», klagte der König. Doch war er weit davon entfernt, diese Drohung wahr zu machen. Er trat nicht zurück, sondern ernannte Bismarck zum Ministerpräsidenten. Die Babelsberger Ernennung hatte weitreichende Konsequenzen: Bismarck setzte sich über das Parlament hinweg, das einer Erhöhung des Militärhaushalts nicht hatte zustimmen wollen und schuf acht Jahre später mit dem Deutsch-Französischen Krieg Einigkeit unter den deutschen Fürstentümern. 1871 wurde Wilhelm I. im besetzten Versailles zum Deutschen Kaiser ausgerufen; sein «eiserner» Gehilfe wurde Reichskanzler.

Auch Friedrich III., der 1888 die Kaiserkrone seines Vaters erbte, konnte noch auf Bismarcks Unterstüt-

zung zählen. Doch der schwerkranke Regent, der im Neuen Palais geboren war und dort bald auch starb, blieb nur 99 Tage im Amt – sein Sterbezimmer ist in Potsdam heute noch zu besichtigen. Mit dem jungen Kaiser Wilhelm II., dem Enkel Wilhelms I., der nun den Thron bestieg, konnte der alte Kanzler Bismarck sich nicht mehr anfreunden: 1890 dankte er ab. Mit seinem Rücktritt waren auch die Sozialistengesetze außer Kraft getreten, mit denen er seit 1878 die Sozialdemokraten erfolgreich aus dem Reichstag ferngehalten hatte.

So war es möglich, daß im Mai 1901 ein junger Anwalt im Victoria-Garten, unweit von Schloß Charlottenhof, vor 400 Zuhörern auftreten konnte: Karl Liebknecht, Aushängeschild der linken Sozialdemokratie, bewarb sich dort zum ersten Mal um die Gunst seines Potsdamer Publikums, dem er sich wenig später auch als Reichstagskandidat vorstellte. «Wer in Potsdam, fast im Angesicht unseres geliebten Kaiserpaares, einem Sozen die Stimme gibt, hat das Recht verwirkt, sich noch ein guter Deutscher zu nennen», wetterte damals zwar die «Potsdamer Tageszeitung». Im Januar 1912 gaben dennoch die meisten Potsdamer Liebknecht ihre Stimme und machten ihn zu ihrem Abgeordneten.

Kontraste, die es in sich haben. Zwischen Sizilianischem Garten und den sechs Weinbergterrassen liegen die Neuen Kammern, 1747 von Georg von Knobelsdorff als Orangerie dem Hauptschloß zur Seite gestellt. Im Vordergrund die Glockenfontäne.

Kontraste, die es in sich haben. Zwischen Sizilianischem Garten und den sechs Weinbergterrassen liegen die Neuen Kammern, 1747 von Georg von Knobelsdorff als Orangerie dem Hauptschloß zur Seite gestellt. Im Vordergrund die Glockenfontäne.

Schloß Cecilienhof – Von der Monarchie zu Deutschlands Teilung

Dunkle Fachwerkbalken über rustikalem Fundament, rankende Kletterpflanzen an den Fassaden und eine gepflegte Grünanlage: Als englisches Landhaus breitet sich Schloß Cecilienhof im Neuen Garten aus und hat als Touristenmagnet dem Marmorpalais unten am Ufer des Heiligen Sees längst den Rang abgelaufen. 1912 hatte Kaiser Wilhelm II. dem Plan zugestimmt, in Potsdam erneut eine Kronprinzen-Residenz zu bauen. Wenige Monate vor Beginn des Ersten Weltkriegs, im Jahr 1914 wurde mit dem Bau des Schlosses für seinen Sohn Wilhelm und dessen Frau Cecilie begonnen; 1917 war der Cecilienhof, dessen 176 Zimmer sich um fünf Innenhöfe gruppieren, bezugsfertig. Doch schon ein Jahr später mußte Kronprinz Wilhelm seine Ambitionen auf die Kaiserkrone und Schloß Cecilienhof aufgeben und seinem Vater ins holländische Exil folgen. 1926 jedoch kehrte der Hohenzollernprinz nach Potsdam zurück und durfte sein Palais im Neuen Garten wieder beziehen. So wurde er am 21. März 1933 Zeuge eines Auftritts, mit dem Adolf Hitler eine dunkle Zeit einläutete: Zwei Wochen nachdem die Nationalsozialisten bei den

Reichtagswahlen 44 Prozent der Stimmen erhalten hatten, ließ sich der Reichskanzler Adolf Hitler beim «Tag von Potsdam» in der Garnisonskirche feiern. Der Ex-Kronprinz, der sich schon 1932 öffentlich zu Hitler bekannt hatte, wohnte der Feier bei. Er stand hinter dem leeren Stuhl seines Vaters, daneben seine beiden Brüder; Prinz August Wilhelm in SA-Uniform. Unten in der Gruft der Kirche lagen die Ahnen des Ex-Kronprinzen begraben – darunter auch Friedrich der Große. Oben in der Kirche stellte sich der Reichskanzler als Erbe des großen Preußenkönigs dar. Der Stammbaum, den er sich damit konstruierte, setzte sich auch im Bewußtsein der späteren SED-Herrscher fest: Sie sahen in den Preußen stets die Väter des Faschismus.

Im März 1945, kurz bevor im April die Bomben fielen, verließen die Hohenzollern endgültig die Stadt; ihr Cecilienhof überlebte den Zweiten Weltkrieg unbeschadet. Deshalb konnte Potsdam noch einmal in den Blickpunkt der Weltgeschichte rücken. Weil im zerstörten Berlin kein angemessener Tagungsort zu finden war, wichen Churchill, Stalin und Truman zu ihrer «Potsdamer Konferenz» auf den Cecilienhof aus. Dort konnten die Sieger höchst bequem über Deutschlands Zukunft und Polens Westgrenze verhandeln. Ihr Ta-

gungsort, vor dessen Eingang sich jahrzehntelang ein Blumenmeer zum roten Stern formierte, wurde zum Lieblingsmuseum der SED in Potsdam. Busladungen von Besuchern wurden hierher geschafft, um den runden Verhandlungstisch zu bewundern, der eigens in der Sowjetunion gefertigt worden war. Und um Stalins düsteres Arbeitszimmer zu besichtigen und seinen Schreibtischstuhl mit den Armlehnen aus geschnitzten Drachen.

Berlins Vorort – Die Provinz der Großstadt

Das sternförmige Beet vor dem Schloß Cecilienhof blüht nun nicht mehr rot, sondern gelb. Die Mauer, die dort – wie auch bei Schloß Babelsberg – den Park von der Havel und West-Berlin trennte, ist eingerissen. Im Stadtzentrum, ganz in der Nähe der Brandenburger Straße, werden die Passanten nicht mehr aufgefordert, vor dem alten Stadtgericht die Straßenseite zu wechseln: Das propere Backsteingebäude, das die Potsdamer einst – wie die Inschrift verrät – der «Königshuld» verdankten, war jahrzehntelang das Stasi-Hauptquartier: der Zellentrakt hinten im Hof soll in Zukunft als Museum an dieses Kapitel deutscher Geschichte erinnern.

Das Café Heider beim Holländischen Viertel ist Treffpunkt der Potsdamer Szene. Diese war schon zu SED-Zeiten ausgeprägter als in vergleichbar großen Städten; vielleicht hat Potsdams große Geschichte für mehr Selbstbewußtsein gesorgt, wahrscheinlich hat auch die Nähe zur Metropole und DDR-Hauptstadt Berlin Einfluß genommen. Inzwischen ist West-Berlin noch näher: Im Café Heider kündigen jetzt Flugblätter die Auftritte von Kreuzberger Bands und die nächsten Acid-House-Partys an. So holt man sich die großstädtische Szene-Kultur in den provinziellen Alltag, den die Potsdamer aber nicht missen mögen.

Aus gutem Grund, heißt es immer wieder, lebe man an der Havel und nicht an der Spree: Die Überschaubarkeit Potsdams sei der Anonymität Berlins vorzuziehen. Doch nun, wo die Staatsgrenzen gefallen sind, werden sich auch die Stadtgrenzen verwischen. «Für immer ist die dörfliche Stille dahin. Man ist auf Berliner Massenverkehr eingerichtet, der sonntags die einst stille Umgebung Potsdams überflutet», klagte schon 1912 der Jurist Julius Haeckel, der dem Verein für die Geschichte Potsdams vorstand. Damals war die kleine Stadt an der Havel zum Vorort ihrer großen Nachbarin geworden. Jetzt ist sie auf dem besten Weg, es wieder zu werden.

Marmorpalais im Neuen Garten am Heiligen See: Der klassizistische Backsteinbau, von Karl von Gontard zwischen 1787 und 1791 geschaffen, war die Lieblingsresidenz von Friedrich Wilhelm II. und beherbergt heute das Armeemuseum Potsdam.

Renaissancebau in großer Pose – die Orangerie festlich beleuchtet bei Nacht.

Potsdam – Geschichte und Geschichten

Potsdam – Denkmal eines wundersamen Helden

… Berlin … ist größtenteils, wie gesagt, nicht aus der Gesinnung der Masse, sondern einzelner entstanden. Der große Fritz ist wohl unter diesen wenigen der vorzüglichste; was er vorfand, war nur feste Unterlage, erst von ihm erhielt die Stadt ihren eigentlichen Charakter, und wäre seit seinem Tode nichts mehr daran gebaut worden, so bliebe ein historisches Denkmal von dem Geiste jenes prosaisch wundersamen Helden, der die raffinierte Geschmacklosigkeit und blühende Verstandesfreiheit, das Seichte und das Tüchtige seiner Zeit, recht deutsch-tapfer in sich ausgebildet hatte. Potsdam z. B. erscheint uns als ein solches Denkmal, durch seine öden Straßen wandern wir wie durch die hinterlassenen Schriftwerke des Philosophen von Sanssouci, es gehört zu dessen œuvres posthumes, und obgleich es jetzt nur steinernes Makulatur ist und des Lächerlichen genug enthält, so betrachten wir es doch mit ernstem Interesse und unterdrücken hie und da eine aufsteigende Lachlust, als fürchteten wir, plötzlich einen Schlag auf den Rücken zu bekommen, wie von dem spanischen Röhrchen des Alten Fritz. Solche Furcht aber befällt uns nimmermehr in Berlin, da fühlen wir, daß der Alte Fritz und sein spanisches Röhrchen keine Macht mehr üben; denn sonst würde aus den alten, aufgeklärten Fenstern der gesunden Vernunftstadt nicht so manch krankes Obskurantengesicht herausglotzen, und so manch dummes, abergläubisches Gebäude würde sich nicht unter die alten skeptisch philosophischen Häuser eingesiedelt haben. Ich will nicht mißverstanden sein und bemerke ausdrücklich, ich stichle hier keineswegs auf die neue Werdersche Kirche, jenen gotischen Dom in verjüngtem Maßstabe, der nur aus Ironie zwischen die modernen Gebäude hingestellt ist, um allegorisch zu zeigen, wie läppisch und albern es erscheinen würde, wenn man alte, längst untergegangene Institutionen des Mittelalters wieder neu aufrichten wollte, unter den neuen Bildungen einer neuen Zeit …

Heinrich Heine (1797–1856) hielt sich während seines Jura-Studiums in Berlin und Potsdam auf.

Ein kleiner Spaziergang in Potsdam

… Hier hinaus, zwischen Berliner Tor und Glienicker Brücke, ist Potsdam Militärstadt und Vorstadt und verliert seine feinere Eigenart, hat nur noch einige Bauten, die der Betrachtung wert sind.

Der Bassinplatz hat sicher eingebüßt, seitdem er Platz wurde. Diese Gloriette da war von allen Seiten einst vom Wasser umgeben, solche Art von Teehaus, wie man es in Holland liebt, in den Teichen der großen Besitzungen, um dort angenehme Nachmittage in Kühle zu verbringen. Heute aber steht das Häuschen etwas vereinsamt und beziehungslos da mitten auf dem Platz. … Auch das Holländische Viertel, das da von ferne über diese Art von Exerzierplatz herüberleuchtet und ihn hier auch schon seitlich umfaßt, wirkte sicher einst lustiger, als es sich in der Wasserfläche des Bassins verdoppelte.

Aber zu bestimmten Zeiten habe ich den Platz doch gern, wenn auf ihm Weihnachtsmarkt ist, mit altmodischem Kleinstadtzauber. Dann wird er bunt und voller Stimmung.

Georg Hermann (1871–1943) schuf 1929 mit «Spaziergang in Potsdam» eines der wenigen literarischen Zeugnisse der Stadt vor der teilweisen Zerstörung im Zweiten Weltkrieg.

Der Potsdamer

Als die Grenadiere Müller und Scherbig im Sommer 1914 in französische Gefangenschaft gerieten und gefragt wurden, woher sie kämen, antwortete Scherbig, er sei aus Leipzig. Da gossen sie ihm Rotwein ein und lachten, denn als Sachse war er ja von Napoleon her noch quasi ihr Verbündeter.

Müller stammte aus Nowawes. Das kennt ja doch keiner, dachte er und sagte deshalb, er käme aus Potsdam – und bekam eine mächtige Tracht Prügel eingeschenkt, denn Potsdam war für die Franzosen ein rotes Tuch. Da saß der König von Preußen und deutsche Kaiser und hatte schon zweimal die Kriegsfackel nach Frankreich geschleudert. Grenadier Müller mußte es

Zu Fuß und ohne Eile: So läßt sich das Zentrum von Potsdam mit seinen zahlreichen Baudenkmälern am besten erkunden. Bei einem kleinen Stadtbummel bleibt überdies Zeit für Begegnungen.

31

Überreste einstigen Ruhms – das Jägertor auf der Hegelallee ist Potsdams ältester Triumphbogen (1733).

büßen. Wenn ihn fortan jemand nach seinem Herkommen fragte, antwortete er stets: «Ich bin aus Nowawes!» und blieb ungeschoren.

War denn der Potsdamer soviel schlechter als irgendein anderer? Den Potsdamer in Reinkultur gab es eigentlich nie. Er war eine abenteuerliche Mischung aus allen Völkern Europas, denn wer hatte nicht alles hier am Ufer der Havel gelebt, geliebt und Kinder hinterlassen: slawische Fischer und deutsche Siedler, holländische Zimmerleute und Deichbauer, französische Bildhauer und Damastweber und das bunte Volk der langen Kerls, die aus Irland, Dänemark, Sibirien, ja bis aus Äthiopien kamen. Böhmische Weber und Musikanten folgten, italienische Stukkateure und Komödianten, jüdische Seidenhändler, polnische und Schweizer Gardeoffiziere und russische Sänger ...

Diese in Jahrhunderten zusammengeschmolzene Mischung ergab «den Potsdamer», der – gewiß nicht besser und nicht schlechter als der Rostocker oder Leipziger – sich nach 1945 ungeheure Mühe geben mußte, um der Welt zu beweisen, daß er aus den Erfahrungen der Geschichte gelernt hatte. Er konnte nicht wieder-, er mußte neu aufbauen. Und bei diesem großen Aufräumeprozeß holte er kurzerhand alles vom Sockel, was Stiefel und Degen trug oder dem preußischen Adler ähnlich sah. Zum Glück gab es damals kluge sowjetische Kulturoffiziere, die ihn lehrten, die Dinge in historischen Dimensionen und im Zusammenhang zu sehen. So blieb manches wirklich wertvolle Stück erhalten.

1978–1982 strahlte Radio DDR, Sender Potsdam, die Sendereihe «Potsdamer Geschichten» aus, die dem Buch mit dem gleichnamigen Titel zugrundeliegt.

Die Havelschwäne

Die Havel, um es noch einmal zu sagen, ist ein aparter Fluß, man könnte ihn seiner Form nach den norddeutschen oder den Flachland-Neckar nennen. Er beschreibt einen Halbkreis, kommt von Norden und geht schließlich wieder gen Norden, und wer sich aus Kindertagen jener primitiven Schaukeln entsinnt, die aus einem Strick zwischen zwei Äpfelbäumen bestanden, der hat die geschwungene Linie vor sich, in der sich die Havel auf unseren Karten präsentiert. Das Blau ihres Wassers und ihre zahllosen Buchten (sie ist tatsächlich eine Aneinanderreihung von Seen) machen sie in ihrer Art zu einem Unikum. Das Stückchen Erde, das sie umspannt, eben unser Havelland, ist, wie ich in den voraufgehenden Kapiteln gezeigt habe, die Stätte ältester Kultur in diesen Landen. Hier entstanden, hart am Ufer des Flusses hin, die alten Bistümer Brandenburg und Havelberg. Und wie die älteste Kultur hier

geboren wurde, so auch die neueste. Von Potsdam aus wurde Preußen aufgebaut, von Sanssouci aus durchleuchtet. Die Havel darf sich einreihen in die Zahl deutscher Kulturströme.

Aber nicht von ihren Großtaten gedenke ich heute zu erzählen, nur von einer ihrer Zierden, von den Schwänen ...

Wie mächtige weiße Blumen blühen sie über die blaue Fläche hin; ein Bild stolzer Freiheit.

Ein Bild der Freiheit. Und doch stehen sie unter Kontrolle, in Sommertagen zu der Menschen, in Wintertagen zu ihrem eigenen Besten. Im Sommer werden sie eingefangen, um gerupft, im Winter, um gefüttert zu werden. So bringt der Hofstaat oder vielleicht der Fiskus, dem sie zugehören, seine sommerliche Untat durch winterliche Guttat wieder in Balance.

Theodor Fontane (1819–1898) beschrieb nur Potsdams Umgebung, die Stadt selbst behandelte er nicht, da ihm dieses Thema zu abgenutzt erschien.

Landschaftsgarten – Freiraum der Natur

Mit den von Hecken begleiteten Promenadenwegen fand der erste Teil der Parkanlagen seinen Abschluß. Erst nach dem Siebenjährigen Kriege sollte der Park eine Vergrößerung erfahren, die die Anlage in westlicher Richtung um das Dreifache erweiterte. Diese neue Anlage nun zeigt eine wesentlich andere Form der Gartengestaltung. Die Hecken und die anderen Schnittformen des Pflanzenwuchses sind fortgefallen, und auch die Wege sind nicht mehr von Rondellen aus strahlenförmig angeordnet. Jetzt soll alles «natürlich» sein. Man verstand darunter, daß die Natur den Menschen nicht mehr hindern sollte, sich frei nach seinem eigenen Empfinden zu bewegen. Dieser große Wandel war von der demokratischen Bewußtseinslage und Lebensführung Englands ausgegangen, die eine revolutionierende Bewegung auf dem Kontinent entfacht hatte. Es ist der englische «Landschaftsgarten», der sich ganz an den Freiraum der Natur hält und jedem Gattungswert der Pflanze seine ihm angeborene Eigenart bewahren möchte. War der Rokokogarten fast ohne schattengebenden Baum geblieben, so ist es jetzt gerade der Baum, der die Herrschaft über die Gartengestaltung antritt. Und während der Promenadenweg an die gradlinige Allee gebunden war, sucht der Schreitende jetzt auf gewundenen Wegen Entspannung. Dem in einem solchen Landschaftsgarten in versonnener Beschaulichkeit Wandelnden treten die Dinge nun nicht mehr als Augenreiz auf. Das Spiel der feudalen Gesellschaftsklasse, das bis zum starken Gewürz exotischer Kunst verlangt hatte, wie wir an dem Chinesischen Teehäuschen sahen, ist jetzt einer mehr passiven

Alles überragendes Wahrzeichen im Herzen von Potsdam: Die Nikolaikirche ist ein Meisterwerk von Karl Friedrich Schinkel, dem großen Baumeister und Maler (1781–1841). Das klassizistische Gebäude ist der Londoner Paulskirche nachempfunden.

Ein Stück Heimat in der Fremde: Die Siedlung Alexandrowka wurde 1826 eigens für die letzten zwölf russischen Chorsänger gebaut, die der Napoleonische Feldzug nach Preußen verschlug.

Stimmung gewichen. Wenn dem Wanderer nun ein Parkgebäude entgegentritt, dann ist es, als ob er sich vor einer Weihestätte still abwartend verhielte.
Willy Kurth

Charlottenhof – Hinwendung zum Persönlichen

War schon in Sanssouci das Persönliche und Private bestrebt, sich von aller Hofetikette und Staatsrepräsentation fernzuhalten, so zeigt es sich hier, daß auch Charlottenhof dieser Hinwendung zum Persönlichen folgt, jedoch unter den veränderten gesellschaftlichen Verhältnissen zu einer bürgerlich-individualistischen Isolierung gelangt. So stark waren der Einfluß und die Kraft des Bürgertums – der neuen kulturtragenden Schicht –, daß auch der feudalistische Auftraggeber sich ihr nicht entziehen konnte. Das Bürgertum suchte sich neben seiner Wirtschaftsmacht und seiner kapitalistischen Organisation eine geistige Plattform, auf der es sich seine romantischen Ideale errichten konnte. Es ist ein ehrgeizig gefordertes Bildungsniveau, das sich der Bürger als zivile Macht selber aufstellte. In dieser allein fühlte er sich als Erbe des Humanismus unserer klassischen Epoche [...].   *Willy Kurth*

Friedrich der Große

Auf der Höhe des Lebens, innerlich gereift und abgeklärt, fertig und geschlossen steht Friedrich vor uns.

Wie er seinen Zeitgenossen erschien, verraten uns ihre Schilderungen deutlicher als alle erhaltenen Bilder, da kein hervorragender Künstler das Glück gehabt hat, seine Züge nach dem Leben festhalten zu dürfen. Von nahezu mittlerer Größe und ebenmäßiger Gestalt, von etwas nachlässigem, aber raschem und stolzem Gang fesselt er vor allem durch den fein profilierten, von braunem, wohlgepflegtem Haar umrahmten Kopf, den er leise nach rechts zu neigen pflegt, und durch seine wunderbaren tiefdunkelblauen Augen. Aus dem schmalen, symmetrisch geformten Antlitz mit der eigentümlichen schrägen Fluchtlinie von Stirn und Nase leuchtet sein klarer, weitfliegender Geist: von den schmalen Lippen und dem breiten, hohen, senkrecht verlaufenden Kinn lesen wir seine rasche Entschlossenheit und seinen stahlharten Willen. Auf dem immer wechselnden Gesicht spiegelt sich die ungemeine Beweglichkeit seines Denkens und die flüchtige Jagd seiner Stimmungen unmittelbar wider. Den feingeschnittenen Mund umspielt bald ein herzgewinnendes, verführerisches Lächeln, bald umzucken ihn

36

Malerische Idylle auf dem Kapellenberg – die russisch-orthodoxe Alexander-Newski-Kirche liegt etwas abseits der Blockhaussiedlung.

die Geister scharfer Rede und boshaften Spottes. Den Blick aber der großen durchdringenden Herrscheraugen vergißt keiner mehr, der je vor dem Könige gestanden, sei es, daß sie im warmen Glanze freundlichen Wohlwollens aufleuchten oder daß ein düsteres, trübes Feuer in ihnen brennt, und die Blitze der Erregung und des Zornes aus ihnen hervorschießen. Seine klare, volle Stimme mit ihrem sanften, bezaubernden Ton erweckt Vertrauen und erklingt doch scharf und bestimmt beim Kommando seiner Truppen. Nur äußerst selten legt er noch das gestickte seidene Hofkleid an, immer ist er in die einfache, blaue Uniform seiner Offiziere mit den roten Aufschlägen gehüllt, die Schärpe umgeschlungen, den Ordensstern auf der Brust, hochgestiefelt, einen kleinen unscheinbaren Degen an der Seite, den Krückstock in der Hand. Von keinem dämonischen Hauch umwittert wie der Cäsarenkopf Napoleons, aber ehrfurchterweckende Majestät in Haltung und Blick trotz unscheinbarem Äußeren, so schreitet der König durch sein Volk, so erscheint er seinen Bewunderern aus ganz Europa.

Sie alle wissen nicht genug zu erzählen von dem einzigen Zauber jener Soupers von Sanssouci mit ihrer geistsprühenden, alle Fragen menschlichen Wissens streifenden Unterhaltung, mit ihrem schlagfertigen Spiel von Scherzen und Witzen, mit ihrer köstlichen ungebundenen Laune und ihrer schonungslosen persönlichen Medisance. Friedrich, die Seele von allem, der jeden zu Wort und zur Geltung kommen läßt, von ungezwungenster Haltung, von bestrickendster Liebenswürdigkeit und doch im Innersten von unnahbarer Majestät.

Prof. Dr. Wilhelm Wiegand schildert in einer Biografie Friedrichs des Großen dessen Erscheinung und Leben auf Schloß Sanssouci.

Die Tafelrunde von Sanssouci

In seinen ersten Regierungsjahren wurde der König auf einen lieblichen Hügel in der Nähe von Potsdam aufmerksam, zu dem er dann öfters hinritt. Bald beschloß er, dort einen Weinberg anzulegen und sich darin als Sommersitz ein Landhaus zu bauen, das dann unter den kundigen Händen von Knobelsdorff zu einem Lustschlößchen wurde, einer Perle des Rokoko. 1748 wurde es eingeweiht. Man nannte es zunächst nur Weinbergschlößchen. Friedrich sagte schlicht «mein Weinberg».

Als erstes hatte man 1744 die Terrassen angelegt. An einer der Stufen ließ der König ein Gewölbe ausheben und es im Inneren mit Marmor verkleiden. Darüber ließ er die Statue einer liegenden Flora setzen, die von einem beflügelten Putto gestreichelt wird. Die sonderbare Gruft sollte einst sein Grab werden; dieser Gedanke sei ihm zusammen mit dem Entschluß zum Bau des Schlosses gekommen, bemerkte er zu seinem Freund d'Argens. Als er mit ihm einmal noch während der Bauarbeiten über den Platz spazierte, zeigte er auf die Flora und sagte: «Quand je serai la, je serai sans souci.» (Wann ich einmal dort bin, werde ich ohne Sorge sein.) Daraus ist dann der Name Sanssouci entstanden. Friedrich konnte von seinem Arbeitszimmer aus genau auf die Flora und auf seine dahinter verborgene Grabesgruft blicken. Das Kuriose «SANS, SOUCI» in der Fassadenaufschrift konnte bislang von niemandem erklärt werden. Beim Anbringen scheint wohl ein Versehen unterlaufen zu sein, quasi ein Druckfehler, und Friedrich in seiner humorigen Eigenwilligkeit wird darauf bestanden haben, daß es so bleibe. Und so präsentiert es sich dem Besucher bis heute.

Die Legende besagt, der Hausherr habe damit andeuten wollen, im rechten Schloßflügel, wo er wohnte, sei nach wie vor die Sorge zu Hause, im linken, der für die Gäste bestimmt war, herrsche hingegen die Sorglosigkeit.

Fast den ganzen Sommer über wohnte der König in Sanssouci, im Winter im Potsdamer Stadtschloß, mit seinem Blick auf den Paradeplatz; im Berliner und Charlottenburger Schloß hielt er sich seltener auf. Eine «Klause des Geistes» nannte er Sanssouci. Sein Bücherschatz in dem runden Bibliothekzimmer umfaßte die Werke von etwa 30 griechischen und lateinischen Klassikern wie zum Beispiel Homer, Herodot, … Seneca, … Platon …

Von den Franzosen waren hauptsächlich vertreten: La Fontaine, Corneille, Racine, Voltaire, Rousseau …

Friedrichs geistige Welt lag in der Antike, in der französischen Klassik und Aufklärung. Deutsche Bücher las er nicht, obwohl er regelmäßig welche zugeschickt bekam.

Aus seiner geliebten Bibliotheksklause hervorkriechend, sagte der Bücherwurm manchmal aufatmend zu seinen versammelten Freunden: «Ich habe heute fein gelesen und fühle mich jetzt wie ein König.» Hintergründig lächelnd über die Fragwürdigkeit des homo sapiens meinte der Lesende von Sanssouci später skeptisch: «Bücher sind mir der liebste Umgang, denn man kann sich von ihnen trennen nach Belieben, was im Umgang mit Menschen nicht immer möglich ist.»

Wer an die Tafelrunde von Sanssouci gezogen werden wollte, mußte ein Mann des Geistes oder zumindest geistreich und witzig sein. Hier versammelte Friedrich seine Freunde um sich: Major de Chasot und Graf Rothenburg aus der Rheinsberger Zeit; den französischen Mathematiker Maupertuis, Präsident der Königlichen Akademie der Künste und Wissenschaften; den Marquis d'Argens, Schriftsteller und Philosoph; den Venezianer Algarotti; Voltaire; den französischen Arzt und Materialisten Lamettrie; die Generale von Winterfeldt und Baron de la Motte-Fouqué; den Feldmarschall Earl Jakob Keith; den französischen Gesandten Marquis de Valory. Die Freunde Jordan und Keyserlingk aus der Rheinsberger Zeit erlebten Sanssouci nicht mehr. Friedrich ließ für sie bei der Einweihungsfeier zwei Gedecke auflegen, damit sie symbolisch im Freundeskreis weilten.

Man sieht, die Franzosen sind stark vertreten. Wären die preußischen Garderegimenter mit ihrem dröhnenden Paradeschritt nicht zu nahe gewesen, man hätte Sanssouci für ein Lustschloß der Bourbonen halten können.

Sanssouci kannte keine pompöse Hofhaltung, keine übertriebene Etikette. So ungezwungen wie möglich, so konventionell wie nötig, scheint des Königs Devise gewesen zu sein. Frauen durften Sanssouci nicht betreten. Auch das gesamte Hauspersonal, die Domestiken – nur Männer. Nicht einmal seine Mutter ließ Friedrich dorthin kommen, um keinen Präzedenzfall zu schaffen. Wo Weiber auftauchten, so meinte er, sei die Ruhe der Männer gestört. Als seine Lieblingsschwester Wilhelmine, Markgräfin von Bayreuth, sein Augapfel, zu Besuch kam, unterlag auch sie dem Verdikt und spottete dann, Sanssouci sei ein Kloster – manchmal sprach sie auch von einer Abtei – und Friedrich der Abt, der dort seine Mönche um sich versammle und sie dann wieder in ihre Zellen zurückschicke. *Raphael Molina*

Hommage an Voltaire

Potsdam, 24. September 1740.
… Ich habe Voltaire gesehen, auf dessen Bekanntschaft ich so neugierig war; aber ich hatte gerade mein viertägiges Fieber, und mein Geist war eben so ohne Spannung als mein Körper ohne Kraft. Wenn man Leute seiner Art spricht, so muß man nicht krank sein, sondern sich vielmehr sehr wohl und, womöglich, besser als gewöhnlich befinden. Er ist so beredt wie Cicero, so angenehm wie Plinius und so weise wie Agrippa; mit einem Worte: er vereinigt in sich alle Tugenden und Talente der drei größten Männer des Altertums. Sein Geist arbeitet unaufhörlich, und jeder Tropfen Tinte, der aus seiner Feder fließt, wird zu einer geistreichen Bemerkung. Er hat uns sein herrliches Trauerspiel Mahomet deklamiert; wir waren entzückt

Mit der Straßenbahn ins berühmte Holländische Viertel. Das Nauener Tor, 1755 von Johann Gottfried Büring ganz im Stil der englischen Neugotik gehalten, ist so etwas wie das Ein- bzw. Ausgangstor in den «niederländischen» Teil der Stadt.

39

davon: ich konnte es bloß bewundern und schweigen. Die Marquise du Châtelet ist glücklich, daß sie ihn besitzt; denn aus den vortrefflichen Sachen, die ihm entfallen, könnte auch eine Person, die gar nicht zum Denken geschaffen ist und nur Gedächtnis hat, ein vortreffliches Werk zusammensetzen.

Friedrich der Große war ein Bewunderer Voltaires – er lud ihn zur Tafelrunde nach Sanssouci ein.

An die Prinzessin Ulrike von Preußen

Ein Körnchen Wahrheit ist gar oft
In gröbsten Lügen selbst versteckt:
Heut nacht, von einem Traum geneckt,
War ich ein König unverhofft.
Da liebt ich Euch und wagt es zu gestehn …
Und wachend ward mir alles nicht genommen:
Ich sah ja nur mein Reich vergehn.

Voltaire (1694–1778). François-Marie Arouet alias Voltaire war Schriftsteller, Philosoph und die dominierende Persönlichkeit der französischen Aufklärung. Nachdem er wegen seines Freidenkertums bei Ludwig XV. in Ungnade gefallen war, folgte er 1750 einer Einladung von Friedrich II. nach Potsdam.

Das Leben am fürstlichen Hofe

Die Residenz des Fürsten bildete gerade den Gegensatz zu der Handelsstadt, die ich verlassen. Im Umfange bedeutend kleiner, war sie regelmäßiger und schöner gebaut, aber ziemlich menschenleer. Mehrere Straßen, worin Alleen gepflanzt, schienen mehr Anlagen eines Parks zu sein als zur Stadt zu gehören; alles bewegte sich still und feierlich, selten von dem rasselnden Geräusch eines Wagens unterbrochen. Selbst in der Kleidung und in dem Anstande der Einwohner bis auf den gemeinen Mann herrschte eine gewisse Zierlichkeit, ein Streben, äußere Bildung zu zeigen.

Der fürstliche Palast war nichts weniger als groß, auch nicht im großen Stil erbaut, aber rücksichts der Eleganz, der richtigen Verhältnisse eines der schönsten Gebäude, die ich jemals gesehen; an ihn schloß sich ein anmutiger Park, den der liberale Fürst den Einwohnern zum Spaziergange geöffnet. – Man sagte mir in dem Gasthause, wo ich eingekehrt, daß die fürstliche Familie gewöhnlich abends einen Gang durch den Park zu machen pflege und daß viele Einwohner diese Gelegenheit niemals versäumten, den gütigen Landesherrn zu sehen. Ich eilte um die bestimmte Stunde in den Park, der Fürst trat mit seiner Gemahlin

und einer geringen Umgebung aus dem Schlosse. – Ach, bald sah ich nichts mehr als die Fürstin, sie, die meiner Pflegemutter so ähnlich war! Dieselbe Hoheit, dieselbe Anmut in jeder ihrer Bewegungen, derselbe geistvolle Blick des Auges, dieselbe freie Stirne, das himmlische Lächeln. Nur schien sie mir im Wuchse voller und jünger als die Äbtissin. Sie redete liebreich mit mehreren Frauenzimmern, die sich eben in der Allee befanden, während der Fürst mit einem ernsten Mann im interessanten eifrigen Gespräch begriffen schien. –

Die Kleidung, das Benehmen der fürstlichen Familie, ihre Umgebung, alles griff ein in den Ton des Ganzen. Man sah wohl, wie die anständige Haltung in einer gewissen Ruhe und anspruchslosen Zierlichkeit, in der sich die Residenz erhielt, von dem Hofe ausging. Zufällig stand ich bei einem aufgeweckten Mann, der mir auf alle möglichen Fragen Bescheid gab und manche muntere Anmerkung einzuflechten wußte. Als die fürstliche Familie vorüber war, schlug er mir vor, einen Gang durch den Park zu machen und mir, dem Fremden, die geschmackvollen Anlagen zu zeigen, welche überall in demselben anzutreffen; das war mir nun ganz recht, und ich fand in der Tat, daß überall der Geist der Anmut und des geregelten Geschmacks ver-

breitet, wiewohl mir oft in den im Park zerstreuten Gebäuden das Streben nach der antiken Form, die nur die grandiosesten Verhältnisse duldet, den Bauherrn zu Kleinlichkeiten verleitet zu haben schien. Antike Säulen, deren Kapitelle ein großer Mann beinahe mit der Hand erreicht, sind wohl ziemlich lächerlich. Ebenso gab es in entgegengesetzter Art im andern Teil des Parks ein paar gotische Gebäude, die sich in ihrer Kleinheit gar zu kleinlich ausnahmen …

«Ich bin ganz Ihrer Meinung», erwiderte mein Begleiter, «indessen rühren alle diese Gebäude, ja die Anlage des ganzen Parks von dem Fürsten selbst her, und dieser Umstand beschwichtigt, wenigstens bei uns Einheimischen, jeden Tadel. Der Fürst ist der beste Mensch, den es auf der Welt geben kann, von jeher hat er den wahrhaft landesväterlichen Grundsatz, daß die Untertanen nicht seinetwegen da wären, er vielmehr der Untertanen wegen da sei, recht an den Tag gelegt. Die Freiheit, alles zu äußern, was man denkt; die Geringfügigkeit der Abgaben und der daraus entspringende niedrige Preis aller Lebensbedürfnisse; das gänzliche Zurücktreten der Polizei, die nur dem boshaften Übermute ohne Geräusch Schranken setzt und weit entfernt ist, den einheimischen Bürger sowie den Fremden mit gehässigem Amtseifer zu quälen; die Entfernung alles soldatischen Unwesens, die gemütliche Ruhe, womit Geschäfte, Gewerbe betrieben werden: alles das wird Ihnen den Aufenthalt in unserm Ländchen erfreulich machen. Ich wette, daß man Sie bis jetzt noch nicht nach Namen und Stand gefragt hat und der Gastwirt keineswegs, wie in andern Städten, in der ersten Viertelstunde mit dem großen Buche unterm Arm feierlich angerückt ist, worin man genötigt wird, seinen eignen Steckbrief mit stumpfer Feder und blasser Tinte hineinzukritzeln. Kurz, die ganze Einrichtung unseres kleinen Staats, in dem die wahre Lebensweisheit herrscht, geht von unserm herrlichen Fürsten aus, da vorher die Menschen, wie man mir gesagt hat, durch albernen Pedantismus eines Hofes, der die Ausgabe des benachbarten großen Hofes in Taschenformat war, gequält wurden. Der Fürst liebt Künste und Wissenschaft, daher ist ihm jeder geschickte Künstler, jeder geistreiche Gelehrte willkommen, und der Grad seines Wissens nur ist die Ahnenprobe, die die Fähigkeit bestimmt, in der nächsten Umgebung des Fürsten erscheinen zu dürfen …

E. T. A. Hoffmann (1776–1822) schildert akribisch das Leben am Hofe Friedrichs des Großen.

Die weiße Rose

Im Sommer 1829 besucht die russische Zarin Alexandra Feodorowna (die vor ihrer Heirat Charlotte hieß) ihren Vater, den preußischen König Friedrich Wilhelm III., in Berlin. Ihr zu Ehren wird am 13. Juli, ihrem Geburtstag, im Neuen Palais in Potsdam ein aufwendiges Hoffest gefeiert, das den romantischen Namen «Zauber der weißen Rose» trägt. Alles, was in Berlin, Potsdam und Umgebung Rang und Namen hat, ist mitwirkend oder zuschauend daran beteiligt. Das Hofgelände zwischen dem Palais und den Communs ist zu einem mittelalterlichen Turnierplatz umgestaltet worden, geschmückt mit bunten Fahnen und Standarten, die alle das Symbol des Festes, die weiße Rose, zeigen. Die Freitreppen der Communs sind die Tribünen. Mitglieder der besseren Gesellschaft haben hierfür Eintrittskarten kaufen können. Die gegenüberliegenden zeltüberdachten, breiten Treppen des Palais sind für die königliche Familie und den Hof bestimmt. In der Mitte sitzt unter golddurchwirktem Baldachin neben ihrem königlichen Vater die Herrin des Festes, die seit ihrer Kindheit in der Familie Blancheflour, die weiße Rose, heißt.

Drei ritterlich kostümierte Herolde eröffnen das Spektakel. In den ersten der vielen noch folgenden schlechten Verse, die Herzog Karl von Mecklenburg, Bruder der verstorbenen Königin Luise, also Onkel der Zarin, verfertigt hat, bitten sie Ihre Kaiserliche

Hoheit um die Erlaubnis zum Beginn des Turniers. Unter Trompetenschall reiten die ritterspielenden Aristokraten, ganz echt mit Rüstung und Helm verkleidet, mit Schwert, Schild und Lanze bewehrt, in die Arena, allen voran der Kronprinz, der spätere König Friedrich Wilhelm IV. – den 19 Jahre danach seine Untertanen mit einer Revolution überraschen werden. Nach dem Reiten des Carroussels beginnen die Kampfspiele. Man sticht mit Lanzen nach blumenumkränzten Scheiben, wirft den Spieß, schlägt mit dem Säbel wächserne Mohrenköpfe entzwei und reitet auch, die blanke Klinge schwingend, aufeinander zu, ohne sich weh zu tun. Dann sucht jeder Ritter seine zeitgerecht verkleidete Dame, man formiert sich zu einem farbenprächtigen Zug und verschwindet im Schloß. Das große Publikum kann nach Hause gehen. Wer aber zum Hof und zu dessen engerer Umgebung gehört, hat erst ein Drittel des Festes hinter sich. Das ganze dauert zwölf Stunden.

Schauplatz des zweiten Teils ist das reizende kleine Theater, in dem man der Fülle wegen sehr schwitzt und sich der Fadheit des Gebotenen wegen langweilt. Die von Schauspielerinnen und Schauspielern gestellten lebenden Bilder allegorischen, also kaum verständlichen Inhalts nehmen kein Ende. Schuld daran ist weniger Schinkel, der sie entwarf, als der mecklenburgische Herzog, dem die Verse, die zum Auftreten all der Musen, Genien, Feen und Heroen gesprochen werden, überlang geraten sind. Zur Erholung folgt ein Souper. Dann geht es in langen Reihen durch die Gänge des Schlosses in den Grottensaal, wo es trotz der 1000 Kerzen, die ihn beleuchten, angenehm kühl ist. Nach einem Ballett folgt der Ball, zu dessen Schlußphase die Verteilung der Kampfpreise gehört. Die Zarin überreicht sie den vor ihr knienden Rittern. Wer keine goldene Kette, keinen Pokal, keinen türkischen Säbel bekommt, erhält als Belohnung für die Mitwirkung allein eine Rose aus Silber, mit weißer Schleife verziert. Die aber wird auch einem verliehen, der gar nicht mitgewirkt hat, weil er nicht mehr jung und gesund genug dazu ist, der aber mit kindlichem Ernst an diesen Vergangenheitsspielen hängt, ein Mann von kleiner Statur, mit rundem Kopf und kurzem Hals, durch den er fast wie bucklig wirkt, nicht schön also, doch mit klangvollem Namen: Friedrich Baron de la Motte Fouqué …

Günter de Bruyn

Adieu Potsdam

Am 21. März 1933, dem «Tag von Potsdam», sagte Wilhelm II. zu seinem Flügeladjutanten Sell: «Man hat mich in Deutschland lebendig begraben.»

Hier wohnten einst Einwanderer – allesamt Handwerker – aus den Niederlanden. Das holländische Viertel mit seinen charakteristischen roten Ziegelhäusern entstand in der ersten Hälfte des 18. Jahrhunderts. Der Amsterdamer Baumeister Johann Boumann errichtete es für seine Landsleute in einem einheitlichen Stil.

Moschee mit Minarett – dahinter verbirgt sich das Pumpwerk für die Fontänen von Sanssouci.

Der Kaiser zeigte ein Telegramm des Kronprinzen, soeben in Doorn eingetroffen, daß dieser «bei dem großen historischen Geschehen heute in Potsdam Seiner Majestät in Treue gedenke».

Am Abend des 21. reiste von Sell nach Berlin zurück.

«Der Kronprinz hat doch tatsächlich an der Feier in der Garnisonkirche teilgenommen», berichtete er zu Hause empört. «Dabei hat er Dommes und mir mit Handschlag versprochen, sich zurückzuhalten, wegzubleiben. Und er besaß ja nicht einmal eine Einladung für die Feier.»

Der Kaiser in Doorn hatte den gemeinsamen Einzug seines ehemaligen Generalfeldmarschalls und dieses neuen Kanzlers Hitler in die Potsdamer Garnisonkirche am Rundfunk verfolgt. Das Läuten der Glocken, die Orgelklänge des Chorals: «Nun danket alle Gott» – dann ertönte im Rundfunk die Stimme des Reichsjugendführers Baldur von Schirach. Er schilderte die Gestalt des greisen Reichspräsidenten in der feldgrauen Uniform eines Generalfeldmarschalls; neben ihm, in Cut und schwarzem Mantel, den Zylinder in der Hand, Hitler.

In der Mitte des Kirchenschiffs blickte Hindenburg zur ehemaligen Hofloge empor, verneigte sich und grüßte mit dem Marschallstab den Sohn seines einstigen Kaisers. In der Uniform der Totenkopfhusaren stand der Kronprinz hinter dem leeren Stuhl seines Vaters, neben ihm seine Brüder, Prinz August Wilhelm in SA-Uniform.

Auch Göring und Goebbels grüßten zur Hofloge hinauf, mit dem Hitlergruß. Ein Raunen ging durch die Garnisonkirche – Wilhelm in Doorn konnte es am Rundfunk vernehmen. Sollte das Endziel des neuen, dritten Reiches doch die Wiederherstellung der Monarchie sein? Was anders konnte die Geste des Reichspräsidenten bedeuten?

Nicht wenige hofften darauf – und keineswegs nur Angehörige des ehemaligen Kaiserhauses. Hermann Göring hatte bei seinen beiden Besuchen in Doorn dem Kaiser Versprechungen gemacht, ebenso dem Kronprinzen in Cecilienhof. So schwankte der Exkaiser, was seine eigene Person betraf, zwischen Resignation und wahnwitzigen Hoffnungen; an die Wiederherstellung der Monarchie in Deutschland glaubte er mit nicht zu beirrender Hartnäckigkeit.

Erika von Hornstein wurde 1913 in Potsdam geboren. Historische Anmerkung: Am 21. März 1933, dem «Tag von Potsdam», gab es einen Staatsakt in der Garnisonkirche zur Eröffnung des neuen Reichstags.

Blick auf die
«Kathedrale» von
Potsdam, das
alles überra-
gende Wahrzei-
chen der Stadt.
Im Vordergrund
trägt Atlas auf
dem Alten
Rathaus schwer
an seiner Last.

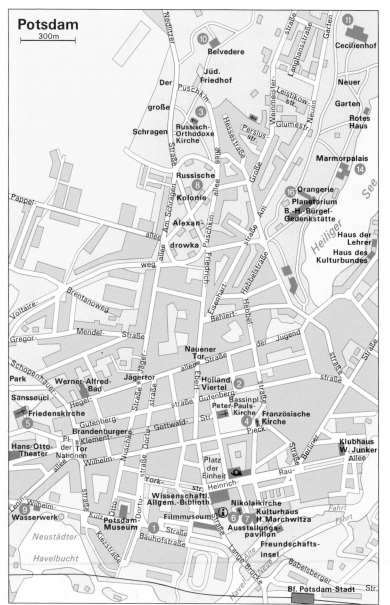

Schloß Babelsberg beherbergt heute ein Museum für Ur- und Frühgeschichte.

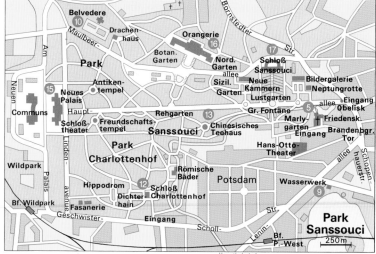

POTSDAM – DIE STADT UND IHRE UMGEBUNG

Kursive Ziffern verweisen auf Farbabbildungen, Ziffern im Kreis auf die Karte.

BABELSBERG ist vor allem als Stadt der «Filmfritzen» bekannt geworden; von 1911–45 befand sich hier die UFA, die Zentrale der deutschen Filmproduktion. Die seit 1946 unter der Regie der DEFA weiterbetriebenen Anlagen bilden noch heute die ausgedehnteste Filmstadt Europas. Der 1939 mit Potsdam zusammengeschlossene Ort entstand aus einem Dorf und der 1752 von Friedrich dem Großen in Auftrag gegebenen Weberkolonie Nowawes. Sie wurde eigens für vertriebene böhmische Protestanten erstellt. Von den bescheidenen Häuschen sind noch einige erhalten: Sie stehen in nach Textilien benannten Straßenzügen. Ganz im Gegensatz dazu zeugt die ab 1864 entlang des Griebnitzsees als bevorzugte Villenkolonie angelegte Siedlung Neu-Babelsberg vom Wohlstand der «guten Gesellschaft» der kaiserlichen Residenzstädte Berlin und Potsdam. Hier befinden sich auch drei Villenbauten aus der Frühzeit Ludwig Mies van der Rohes: die ehemaligen Häuser Riehl (Spitzweggasse 3), Urbig (Virchowstr. 23) und Mosler (Karl-Marx-Str. 28).

BABELSBERG SCHLOSS. Sommersitz des Prinzen und späteren Kaisers Wilhelm I., eine der ersten großen Schloßanlagen im romantisch-neugotischen Stil in Deutschland. Der Bau wurde in zwei Phasen errichtet: bereits nach Schinkels Rückkehr von seiner England-Reise 1826 geplant, wurde 1833 mit dem Bau eines vielgliedrigen, cottage-ähnlichen Schlößchens begonnen, dessen innere und äußere Gestaltung nicht nur von den Vorbildern englischer Neugotik, sondern sicher auch von Schinkels Praxis als erstem «Denkmalpfleger» beeinflußt ist. Der Erweiterungsbau modifizierte das Schlößchen innen wie außen zu einem wuchtigen Prachtschloß, das 1849 vollendet wurde. In den von Lenné gestalteten Landschaftsgarten sind weitere Bauten einbezogen: die aus dem 13. Jahrhundert stammende, ehemalige Berliner Gerichtslaube, das sogenannte «Kleine Schloß», der Marstall, ein im Burgenstil verpacktes Maschinenhaus als Versorgungs- und Energiezentrale sowie der dem Eschenheimer Tor in Frankfurt am Main nachgebildete Flatowturm als Aussichtspunkt und Gästewohnung.

Das Babelsberger Schloß beherbergt heute ein Museum für Ur- und Frühgeschichte.

BRANDENBURGER STRASSE. Die Einkaufs- und Flaniermeile Potsdams ist heute die als Fußgängerzone ausgebaute Brandenburger Straße, frühere Klement-Gottwald-Straße, die sich zwischen dem Triumphbogen des Brandenburger Tores und der katholischen Kirche Peter und Paul auf dem Bassinplatz spannt. Hier befinden sich Cafés und Restaurants und in den 70er Jahren restaurierte Häuser. Eigentlich markiert diese Straße die ungefähre Grenze zwischen dem «feinen» Potsdam zur Havel hin und dem nördlichen, weniger feinen, der Soldaten, Handwerker und Dienstleute. Schon die südlich anschließende Parallelstraße, die Wilhelm-Pieck-Straße, weist die ersten Säulenfronten auf; sehenswert und zum Teil restauriert sind die Querstraßen dazu, besonders die Dortusstraße und die Wilhelm-Staab-Straße mit elegant unprotzigen Bauten aus spätfriderizianischer Zeit. Etwas Phantasie erfordert das geschlossene Ensemble des Neuen Marktes mit dem Stall für Kutschpferde, der Waage und einigen von Knobelsdorff erbauten Häusern, die von dem Blick auf die Kuppel von St. Nicolai bereichert werden. Besonders hübsch ist dann die wenige Schritte entfernte Schloßstraße an der Rückseite des Marstalls (Filmmuseum der DDR), deren knobelsdorffsche Kopfbauten den Eingang zur ehemaligen Prachtstraße, der Breiten Straße (Wilhelm-Külz-Straße), markieren.

EINSTEINTURM. Eines der für die Entwicklung der modernen Architektur wichtigsten Bauwerke, eine der eigenwilligsten Lösungen expressionistischer Architektur und symbolträchtiger Ort der Wissenschaftsgeschichte ist der sogenannte Einsteinturm auf dem Telegraphenberg. Das 1920–24 von Erich Mendelsohn auf dem Gelände der Kaiser-Friedrich-Gesellschaft für Astrophysik erbaute «Monument der Wissenschaft» birgt ein Teleskop zur Messung von Spektralverschiebungen des Sonnenlichtes. Mit ihm sollte und konnte die von Albert Einstein entwickelte Allgemeine Relativitätstheorie überprüft werden. Der Einsteinturm wird weiterhin von der Akademie der Wissenschaften der DDR genutzt; dennoch ist eine Besichtigung über die Anmeldung zu Führungen der Potsdamer Urania oder der West-Berliner Wilhelm-Foerster Sternwarte möglich.

GLIENICKER BRÜCKE. Im Verlauf der alten Reichsstraße 1 Aachen – Königsberg markiert die Mitte der «Brücke der Einheit» die Grenze zwischen Berlin und Potsdam. Seit 1945 gesperrt, war sie 40 Jahre der wichtigste Ort für

Frühe «Staatswohnungen»: die Hiller-Brandtschen Häuser.

den Austausch von Spitzenagenten zwischen West und Ost, weswegen die Brücke auch unerläßliche Staffage für zahlreiche Spionagefilme abgab. Heute ist sie wieder geöffnet und stellt, von Wannsee kommend, die schönste Stadteinfahrt nach Potsdam dar.

HILLER-BRANDTSCHE HÄUSER. ① Johann Gottfried Herder schreibt 1769 über Friedrich den Großen: «Wo ist das Reich des Phyrrus? Hat er nicht mit diesem große Ähnlichkeit? Ohne Zweifel ist das Größeste an ihm negativ: Gewalt, Defension, Aushaltung…» Potsdam ist nicht gewachsen, sondern mit der Gewalt des Herrschers «gemacht». In seiner 46jährigen Regierungszeit hat Friedrich der Große enorme Anstrengungen unternommen, Potsdam zu einer präsentablen Residenzstadt auszubauen. Begonnen hatte damit bereits sein Großvater mit dem weitgehenden Abriß der mittelalterlichen Altstadt. Ging es dem Soldatenkönig vor allem darum, mit Vergünstigungen, allerdings auch mit unverhohlenen Drohungen privaten Bauherren gegenüber, die Größe der Stadt zu verdreifachen, legte sein Enkel vor allem Wert auf Repräsentatives: Prachtstraßen, Tore, Denkmäler. Der König ließ sich zu diesem Zweck Stichwerke europäischer Architekturen kommen, wählte aus oder krakelte oftmals nach eigenen Ideen darauf aufbauende Fassadenskizzen, die seine Architekten in realisierbare Pläne umzusetzen hatten. Ob den Bauwilligen die Form ihrer Häuser gefiel oder nicht: an sie erging nur noch königliche «ordre». Besonders im Bereich des Stadtschlosses entstanden so Kopien wahrhaft königlicher Bauten, deren Originale für französische Herzöge, oberitalienische Tyrannen, römische Kardinäle oder britische Plutokraten gebaut worden waren. In Potsdam wohnten hinter diesen prächtigen Fassaden jedoch bisweilen Soldaten, Bäcker oder kleine Beamte, die ihre Fenster oft nur im Liegen öffnen konnten, weil innere und äußere Geschoßeinteilung nicht übereinstimmten oder fünf eigenständige Häuschen hinter der schimmernden Palastfront verborgen lagen. Das Ganze riecht ein wenig nach Potemkinschen Dörfern; allerdings erhielt Potsdam damit sein einmalig geschlossenes Stadtbild.

Der gnadenlose Abriß nach dem Krieg hat die meisten dieser Bauten verschwinden lassen. Erhalten sind nur noch die sogenannten «Hiller-Brandtschen Häuser» (Wilhelm-Külz-Str. 25/27), Mietwohnungen im Gewand eines Entwurfes für das königliche Schloß in Whitehall. Heute ist dort das Stadtmuseum untergebracht.

HOLLÄNDISCHES VIERTEL. ② Eine der
Kuriositäten Potsdams ist das Holländische Viertel, das 1733–42 nach Plänen des aus Holland stammenden Architekten Johann Boumann entstand. Verwandtschaftliche Beziehungen, wohl aber auch die persönliche Hochachtung vor dem protestantisch-calvinistischen Fleiß der Niederländer hatten den Soldatenkönig bewogen, seiner Residenz eine holländische Stadt anzufügen, für deren Besiedlung der preußische Gesandte in den Niederlanden zu

tränken wie «Coffee» oder Schokolade erwischen ließen, eigenhändig verprügelt. In einem jedoch war er großzügig: dem Bau von Kirchtürmen. Potsdam erhielt während seiner Regierungszeit einen stadtbildbeherrschenden Dreiklang von jeweils über hundert Meter hohen Barocktürmen: St. Nicolai, Heiliggeist und die Garnisonskirche, deren Glockenspiel 200 Jahre lang den zum Symbol für Potsdam gewordenen Choral «Üb' immer Treu und Redlichkeit»

Französische Kirche. ④ Die kleine, 1753 nach Plänen v. Knobelsdorffs vollendete Kirche, Potsdams Mini-Pantheon und kleine Schwester der Berliner Hedwigskathedrale, ist heute leider ihres alten Umfeldes beraubt. Als Pfarrkirche der französischen Gemeinde erinnert sie an die Geschichte der vom Sonnenkönig aus Frankreich vertriebenen Hugenotten, die sich, nach dem in Potsdam am 29. Oktober 1685 erlassenen Toleranzedikt, in Brandenburg niederzulassen begannen.

Der Große Kurfürst und seine nächsten drei Nachfolger hatten den enormen Nutzen der handwerklich versierten Flüchtlinge für den Aufstieg des weitgehend armen, als Streusandbüchse des Heiligen Römischen Reiches verspotteten Landes erkannt. Für die ersten, 1687 in Potsdam angekommenen «Frembden» ließ der Kurfürst sogar die Kapelle im Stadtschloß herrichten. Da

Die von Boumann erbaute Französische Kirche erinnert an einen antiken Tempel.

Das Holländische Viertel.

Die Basilika San Clemente in Rom stand Pate beim Bau der Friedenskirche.

werben hatte. Trotz der verblüffend echt gelungenen Anlage war der Zuzug holländischer Handwerker spärlich, so daß man hier kurzerhand große Teile der Potsdamer Garnison einquartierte. (S. 43)

KIRCHEN. Der Anekdote nach ist der
für seine Sparsamkeit bekannte Soldatenkönig Friedrich Wilhelm I. mitunter in den Wirtshäusern seiner Residenzen erschienen und hat diejenigen Untertanen, die sich beim Genuß von Luxusge-

anstimmte. Daß die 1945 beschädigte Kirche aus ideologischen Gründen abgerissen wurde, ist einer der schmerzlichsten Verluste für die Stadt.

Alexander Newski Kirche. ③ Der quadratische Kreuzkuppelbau wurde 1826–29 als Gotteshaus der russischen Kolonie Alexandrowka, die sich südlich des Kapellenberges anschließt, nach den Plänen Karl Friedrich Schinkels erbaut. Seit 1986 hat sie sogar wieder ihren eigenen Priester. (S. 36, 37)

die französische Gemeinde in der Folgezeit beständig wuchs, erhielt sie den heutigen Bau von Friedrich dem Großen zum Geschenk.

Friedenskirche. ⑤ Inmitten des 1847 von Peter Joseph Lenné neugestalteten Marlygartens an einem künstlich angelegten See ließ Friedrich Wilhelm IV. 1844–54 die Kirche nach Plänen von Ludwig Persius als Pfarrkirche für Sanssouci und als eigene Grablege errichten. Um eine möglichst originalgetreue Nachbildung einer frühchristlichen Basilika zu erhalten, wurde ein regelrechter Wissenschaftlertrust von Architekten, Bauforschern, Historikern und Religionswissenschaftlern zu Rate gezogen. Die Größe der Kirche richtete sich nach einem venezianischen Mosaik des 12. Jahrhunderts, das der König in Venedig zu diesem Zweck

Weithin sichtbares Wahrzeichen von Potsdam ist die Nikolaikirche.

erworben hatte – übrigens neben einem weiteren auf der Berliner Museumsinsel das einzige Beispiel dieser Kunstgattung nördlich der Alpen.

Heilandskirche Sacrow. Nachdem Friedrich Wilhelm IV. Gut Sacrow gekauft hatte, konnte auch hier mit den Arbeiten an einem weiteren Teilstück des sogenannten «Verschönerungsplanes für Potsdam» des Gartengestalters Lenné begonnen werden.
Neben dem Gutshaus entstand in ähnlich historisierender Art wie bei der Friedenskirche die 1844 geweihte, von mittelalterlichen Kirchenbauten der Lombardei angeregte Heilandskirche. Denkmalhaft und höchst malerisch spiegelt sich der Bau von drei Seiten in der Havel und bildet einen attraktiven «point de vue» in der Landschaft von Sanssouci. Das Innere der im unmittelbaren Grenzbereich zu West-Berlin liegenden und damit für die Berliner höchst symbolträchtigen Kirche wurde Weihnachten 1961 verwüstet und gesperrt. Erst 1989, wiederum an Weihnachten, konnte sie von der Gemeinde Sacrow wieder als Pfarrkirche übernommen werden.

St. Nikolai. ⑥ Die Nikolaikirche ist die Hauptpfarrkirche Potsdams und an dieser Stelle mittlerweile der dritte Bau. Nach langwierigen Diskussionen begann man 1830 nach Plänen von Karl Friedrich Schinkel und unter aktiver Mitarbeit des damaligen Kronprinzen Friedrich Wilhelm IV. mit dem heutigen Bau. 1837 wurde die Kirche geweiht, allerdings erst 1843 mit dem Aufsetzen der schon von Schinkel vorgeschlagenen Kuppel und der vier seitlichen, statisch notwendigen Glockentürme vollendet. St. Nikolai ist sozusagen die Kathedrale Potsdams. Sie beherrscht nicht nur das Stadtbild, sondern ist auch weithin sichtbares Wahrzeichen. Der in seiner Monumentalität in Deutschland einzigartige Bau greift nach den Sternen am Himmel der Architekturgeschichte: nicht nur daß die immer auch technische Meisterschaft erfordernde Kuppelkirche als symbolträchtige Form meist den Hauptheiligtümern der Christenheit vorbehalten blieb – deutlich wird dabei auch die Konkurrenz zu den Kuppelkathedralen der europäischen Hauptstädte Paris, London, Florenz, Rom oder St. Petersburg, mit denen sich Potsdam nun in eine Reihe zu stellen beabsichtigte. *(S. 35, 47)*

RATHAUS. ⑦ Für das 1753–55 von Johann Boumann d. Ä. errichtete Rathaus verordnete Friedrich der Große dem Rat, «unserm lieben Getreuen», den Entwurf Andrea Palladios für einen Palazzo in Vicenza. Zusammen mit dem anschließenden, elegant zurückhaltenden sogenannten «Knobelsdorff-Haus» bietet diese Platzfront einen Eindruck von der ursprünglichen Bebauung des Stadtzentrums. *(S. 2)*

RUSSISCHE KOLONIE. ⑧ Mütterchen Rußland hat sich in Potsdam am Fuße des Pfingstberges niedergelassen: Um zwölf russische Sänger der preußischen Armee im Lande zu halten, ließ Friedrich Wilhelm III. 1826 dreizehn Blockhäuser errichten, die mit ihren kunstvollen Schnitzereien und Giebelfronten ein typisch russisches Ambiente schaffen sollten: die Kolonie Alexandrowka. Mit den bohlenverkleideten Stallungen, den Holzzäunen und Tordurchfahrten sind die Gehöfte bis aufs i-Tüpfelchen so «echt», daß die außerhalb Rußlands einzigartige Anlage zu Recht an die im 19. Jahrhundert sprichwörtliche preußisch-russische Freundschaft erinnern kann.

Sinnbild für eine völkerübergreifende Freundschaft: das russische Viertel.

WASSERWERK VON SANSSOUCI. ⑨ Um das Wasser der Havel in die Fontänen der Schlösser von Sanssouci zu pumpen, hatte man bereits Friedrich dem Großen eine «Feuermaschine» empfohlen, wie sie in England bereits zur Entwässerung von Kohlegruben eingesetzt wurden. Der preußische König lehnte das als Scharlatanerie ab und zog es vor, einen Stab von Windmühleningenieuren und Röhrenspezialisten zu beschäftigen, die solange der Reihe nach höchst unehrenhaft entlassen wurden, bis man das Projekt schließlich aufgeben mußte. Die Fontänen sprudeln, nachdem man 1841 eine Dampfmaschine von August Borsig installiert hatte. Sie ist eine der ersten in Deutschland überhaupt gebauten, heute noch voll funktionsfähig und steckt im Mantel einer maurischen Moschee, deren «Minarett» den Schornstein kaschiert. *(S. 44/45)*

DIE SCHLÖSSER UND GÄRTEN VON SANSSOUCI

Zwischen 1660, dem Rückkauf des Amtes Potsdam durch den Großen Kurfürsten und 1860, dem Rücktritt des letzten leidenschaftlichen Bauherrn, Friedrich Wilhelm IV., entstand in einem kontinuierlichen Prozeß in und um Potsdam eine sicherlich einzigartige Anlage. Während die Villenlandschaft um Florenz und Venedig, die Gestaltung des Pariser Beckens unter dem Sonnenkönig oder die barocke Gartenlandschaft um das theresianische Wien den Überplanungen der folgenden Jahrhunderte zum Opfer gefallen sind, ist in Potsdam noch immer eine Variation auf ein altes Thema der Kunst anschaulich: die Gestaltung eines ganzen Naturraumes zu einer Gartenlandschaft. Was heute verwaltungstechnisch unter dem Begriff «Staatliche Schlösser und Gärten Potsdam Sanssouci» zusammengefaßt ist, ist Höhepunkt, aber eben doch nur Teil einer Berlin-Potsdamer Gartenlandschaft. Diese wuchs im Laufe von über dreihundert Jahren: zwischen den beiden inzwischen abgerissenen Stadtschlössern von Berlin und Potsdam entstanden am Lauf von Havel und Spree zahlreiche Lust- und Jagdschlösser, Villen und prinzliche Wohnungen, Residenzen und Familienschlösser der Hohenzollern. Aus Einzelplanungen ist ein Landschaftsraum gewachsen, dessen heutiges Bild auf den «Verschönerungsplan für Potsdam» des Gartenarchitekten Peter-Joseph Lenné zurückgeht, ein feines Geflecht von Parkwäldern, Jagdrevieren, in ihrer ästhetischen Wirkung berechneten landwirtschaftlichen Flächen und herausgearbeiteten Reizen der Havellandschaft, in die wiederum ein ganzes Netz von aufeinander bezogenen Bauten eingebettet wurde. Eine dümmliche, bewußt zerstörerische Neubaupraxis hat dieses System mitunter empfindlich gestört; dennoch läßt sich an vielen Stellen des fast vier Quadratkilometer großen Kernstücks spüren, was sich insbesondere der letzte große Bauherr, Friedrich Wilhelm IV., für Sanssouci wünschte: ein Gesamtkunstwerk, ein preußisches Arkadien.

BELVEDERE. ⑩ Wer den Charme von Verfall und Morbidezza oder einen ral-

leyartigen Anfahrtsweg mit dem Auto schätzt, wird bei dem Belvedere-Schloß auf dem Pfingstberg auf seine Kosten kommen. Auf einer der höchsten Erhebungen der Havellandschaft, inmitten eines verwilderten, ehemals von Lenné angelegten Parkes liegt auf gewaltigen Subkonstruktionen die Ruine des Belvedere Friedrich Wilhelms IV. Eigentlich nur «Verpackung» für das Hochreservoir der Wasserspiele von Sanssouci, ist es ein weiteres Beispiel für die romantische Italienbegeisterung und Bauwut des Monarchen:

der gesamte Pfingstberg bis zum Orangerieschloß sollte in eine Treppen- und Kaskadenlandschaft verwandelt werden. Belvedere ist nur ein kleiner Teil dieser hochfliegenden Planungen.

CECILIENHOF. ⑪ Am Rande des Neuen Gartens befindet sich Schloß Cecilienhof, letzter Schloßbau der preußischen Geschichte: die 1917 im Stil englischer Landsitze des 16. Jahrhunderts fertiggestellte Wohnung des Kronprinzen Wilhelm. Hier tagte vom 17.7.–2.8.1945 die Potsdamer Konferenz der Siegermächte des II. Weltkrieges. Der Raum, in dem Churchill, Stalin und Truman das Potsdamer Abkommen unterzeichneten, ist bis heute unverändert erhalten geblieben. *(S. 46)*

CHARLOTTENHOF. ⑫ Sommersitz des Kronprinzen Friedrich Wilhelm IV.,

der als letzter baubegeisterter Vertreter des Hauses Hohenzollern in enger Zusammenarbeit mit Karl Friedrich Schinkel 1826 das hier bestehende Gutshaus nach seinen Vorstellungen umbauen ließ. Immerhin eine kronprinzliche Wohnung, ist das Schlößchen von höchst bürgerlichem Zuschnitt: innen befinden sich neben Vestibül mit Treppe und einem zur Terrasse anschließenden Speisesaal nur wenige kleine Wohnräume. Hier allerdings bleibt nichts dem Zufall überlassen: bis hin zum Serviettenring wird die gesamte Einrichtung nach ästhetischen Gesichtspunkten arrangiert. Das Allroundtalent Schinkel, immerhin Chef des gesamten preußischen Bauwesens, Landeskonservator und Hausarchitekt der verzweigten Hohenzollernfamilie, hat hier die Entwürfe für das erlesene Mobiliar geliefert, mit dem die behaglich-intimen, zartbunt gehaltenen Zimmer ausgestattet sind.

Zum Schloß gehören als Dependence die *Römischen Bäder*, Wohnung für Gäste, Gärtner und Bediente und Reminiszenz an die Italienreise des Prinzen 1829. Den Namen gab ihr das 1834 angefügte «römische Bad», ein von den damaligen Rekonstruktionsversuchen antiker Landsitze angeregter Raumkomplex. Beide Anlagen sind Spitzenwerke des Klassizismus schlechthin, wobei insbesondere das «Weiße Haus von Potsdam», Charlottenhof, in seiner

Die große Fontäne ist strahlender Mittelpunkt des Lustgartens vor Schloß Sanssouci.

Perfektion im Detail wie in der Gesamtanlage zeigt, wie spannend dieser Stil zu sein vermag.

CHINESISCHES TEEHAUS. ⑬ In dem 1746 unter Leitung von Georg Wenzeslaus v. Knobelsdorff als Waldpark mit zunächst geometrischen Sternwegen angelegten und mit architektonischen Staffagen, Wasserspielen und Gartenplastiken geschmückten Rehgarten befindet sich das 1754/56 nach Angaben des Königs von Johann Gottfried Büring errichtete chinesische Teehaus. Der Bau folgt einerseits der Chinamode der Zeit, der für die Freude der Rokokogesellschaft an prickelnden Exotismen den entsprechenden Rahmen bot, ist aber andererseits mit seinem kleeblattförmigen Grundriß und den arrondierten Säulenhallen, dem bemalten Pilzdach, auf dem auch noch ein vergoldeter Mandarin mit Sonnenschirmchen thront, eine reizvolle und höchst originelle Lösung. Um den ganzen Bau sind lebensgroße, vergoldete Sandsteinfiguren lagernder Chinesen gruppiert, die zusätzlich den überraschenden und reizvoll-fremdartigen Effekt dieses märkischen Märchenhauses ausmachen.

MARMORPALAIS UND NEUER GARTEN. ⑭ Lieblingsresidenz König Friedrich Wilhelms II. zu Füßen des Pfingstberges am Heiligen See. Bald nach Regierungsantritt des Königs 1786 begannen hier die Arbeiten an Park und Schloß unter Karl von Gontard, Carl Gotthard Langhans und Friedrich Wilhelm von Erdmannsdorff. Das wegen seiner reichen Ausstattung mit schlesischem Marmor sogenannte Palais ist als Summe einheimischer Bautradition und aktueller europaweiter neoklassizistischer Strömungen so eine Art Ausrufungszeichen am Ende der friderizianischen Ära. Der Park mit einem Obelisken, einer Pyramide, einem «versunkenen» antikischen Tempel und weiterer möglichst erinnerungsträchtiger Architekturstaffage ist eines der frühesten und gelungensten Beispiele für das Ideal eines sentimentalen Landschaftsgartens in Deutschland. Von der in den See vorgezogenen Terrasse des Schlosses hat man einen direkten Blick zum Palais der gefürchteten Gräfin Lichtenau, der als «schöne Wilhelmine» bekannten Bäckerstochter Wilhelmine Encke. Als Ehefrau

Das chinesische Teehaus: Exotisch verspieltes Element im Park von Sanssouci.

Machtdemonstration durch Masse: das Neue Palais.

«zur linken Hand» des Königs war sie für den puritanischen Hof nicht nur Skandal erster Ordnung, sondern lieferte für die späteren Hohenzollernchronisten einen weiteren Vorwand, Friedrich Wilhelm II. als unpreußisch zu bezeichnen. *(S. 27)*

NEUES PALAIS. ⑮ Wie um alle Bauvorhaben in Potsdam, hat sich Friedrich der Große auch um das Neue Palais gekümmert oder besser: permanent eingemischt. Nach Planungsunterbrechungen entstand 1762–68 in einem Gewaltakt der wohl voluminöseste Bau in Potsdam, der mit seiner Front von 260 Metern den Abschluß der Großen Allee bildet und mit seiner Kuppel die Parklandschaft dominiert. Mitten in einer durch den Siebenjährigen Krieg ausgelösten europaweiten Wirt-

schaftskrise hat der König das Projekt durchgepeitscht und dabei drei Architekten verschlissen, die mitunter wegen dem unbegründeten Vorwurf der Baukostenüberschreitung für einige Tage in der Festung Küstrin landen konnten. Als das Schloß schließlich vollendet war, hat der König es achselzuckend als «Fanfaronade» bezeichnet. Auch haben spätere Kritiker die Größe des Baues und seiner westlich anschließenden, den immensen Ehrenhof fassenden palastartigen Wirtschaftstrakte, die sogenannten «Com-

muns» sowie die Üppigkeit der Ausstattung und Dekorationen als ein typisches Beispiel von «zu viel» angesehen. Das Neue Palais ist von keinem der preußischen Könige bis auf Kaiser Wilhelm II. je bewohnt, sondern als Gäste- und Repräsentationsschloß genutzt worden. Einige hundert Meter von dem so ganz anders gearteten Schloß Sanssouci wollte Friedrich durch Größe und durch Anspielungen auf die Architektur des ersten preußischen Königs (Friedrich I., gest. 1713) wohl so eine Art Ausrufungszeichen hinter die im 7-jährigen Krieg behauptete Königswürde und zusätzlich gewonnene Großmachtstellung Preußens setzen. Daneben hatte diese «Fanfaronade» durchaus praktische Aspekte: sie war eine Art Arbeitsbeschaffungsmaßnahme für die kriegsgeschädigte Binnenwirtschaft und Ausstellungs-Pavillion der preußischen Luxuswarenindustrie: Die Gegenüberstellung von Möbeln, Porzellanen oder Stoffen aus heimischen Manufakturen und Produkten aus Sachsen, Österreich oder Frankreich sollte die fürstlichen Besucher von der Leistungsfähigkeit Preußens überzeugen. *(S. 17, 18, 19, 21)*

ORANGERIE. ⑯ Als Friedrich Wilhelm IV. 1840 den Thron bestieg, wählte er Sanssouci zu seinem Sommeraufenthalt und begann sofort mit umfangreichen Verschönerungen, u. a. der Inbetriebnahme der schon von Friedrich dem Großen geplanten Wasserspiele. In langjährigen Planungsschüben entstanden enorme, teilweise völlig überzogene Architekturphantasien, die entlang einer auf der Höhe des Bergrückens projektierten Triumphstraße für Friedrich den Großen ausgeführt werden sollten. Neben dem Triumphbogen über dem Straßenzugang zum Garten und vier nach Vegetationszonen arrangierten Gartenbezirken wurde jedoch nur die Orangerie realisiert (1851–60 von Ludwig Persius und August Stüler erbaut). Der Bau von über 300 Metern Frontlänge auf gewaltigen Terrassenanlagen und Subkonstruktionen ist die merkwürdige Kombination von gärtnerischem Nutzbau und Palast. Die zunächst als komplett überdimensionierte Haus-, Hof- und Regierungszentrale geplante, dann zu einem Wohn- und Repräsentationsbau abgespeckte Anlage ist eine Art Potpourri, das die verschiedensten italienischen Palastbauten des 16. Jahrhunderts zitiert. Diese für die Entwicklung des Historismus bedeutsame Tendenz des Sammelns und Zitierens zeigt auch der Raffaelsaal. Er ist zentraler Bauteil, sozusagen das Sinnzentrum, und enthält von Berliner Malern angefertigte Kopien aller erreichbaren Gemälde Raffaels. *(S. 14, 28, 29)*

SANSSOUCI. ⑰ Sommerresidenz von Friedrich dem Großen. Sie wurde 1744–1747 aufgrund von Ideenskizzen des Königs selbst, unter der künstlerischen Gesamtleitung von Georg Wenzeslaus von Knobelsdorff und unter der Bauleitung von Friedrich Wilhelm Diterichs, ab 1745 unter der von Johann Boumann d. Ä., angelegt. Die weitgehend im Originalzustand erhaltene bedeutendste Anlage des frideri-

zianischen Rokoko nutzt die Situation am Südhang des Bornstedter Hügelzuges, die hier einen weiten Rundblick auf die Stadt Potsdam und die Hügelketten und Seen der Havellandschaft erlaubt. Sechs parabolisch vorschwingende Weinbergterrassen, an denen

sich Feigen und teilweise hinter Glas geschützte Weinreben emporranken, werden durch eine elegante Freitreppenanlage, die gleichzeitig die Symmetrieachse bildet, verbunden. Auf der obersten Terrasse erhebt sich das Schloß, das, obwohl dem «guten Ton» der zeitgenössischen Architekturauffassung widersprechend, zurückgesetzt und ohne Sockel errichtet wurde. Dies geschah auf ausdrücklichen

Wunsch des Königs, der wohl bequem auf die Terrasse gelangen wollte und diese auch bei schönem Wetter für seine berühmte Tafelrunde nutzte. Genauso unkonventionell ist die Raumabfolge im Inneren, die kaum für höfisches Zeremoniell taugt: eine Maßan-

Oben: Die Orangerie vermittelt italienische Leichtigkeit.
Unten: Eine der vielen Statuen im Park von Sanssouci.

fertigung für Friedrich, die einen weitgehend inoffiziellen und möglichst fröhlich-privaten Charakter erhalten sollte. Das Motto der Anlage findet sich in Bronzelettern über dem Mittelportal der Gartenseite: «Sans Souci».
Die eingeschossige Dreiflügelanlage hat gleichsam 2 Gesichter: auf der Eingangsseite den Ehrenhof mit dem noblen Tenor klassischer Säulenstellungen und dem Halbrund zweier Kolon-

naden, ein, wenn man will, königlich kühler Umarmungsgestus. Die Gartenseite zeigt hingegen lockere Freuden des Lebens auf dem Weinberg: der bauchig ausschwingende überkuppelte Festsaal als Zentrum des Schlosses und Ort der königlichen Tafelrunde, die großen Fenstertüren und eine üppigpralle Bauplastik. Bacchanten, lose Kumpane auf den Festen des Weingottes Bacchus, tragen das Dach des Hauses, auf dessen Attika steinerne Putti und Körbe voller Früchte und Blumen aufgestellt sind. Innen ist Sanssouci eine der edelsten Raumschöpfungen des Rokoko. Am kostbarsten ausgestattet sind die Räume des Königs: ein Antichambre, das Konzertzimmer, der Rahmen für kleine Konzerte und das tägliche Musizieren des Königs, die eigenwillige kreisrunde Bibliothek am Ostende und die kleine Bildergalerie. Der Außeneindruck des Schlosses, das gerade durch seine im Grunde bescheidenen Ausmaße beeindruckt, steigert sich im Inneren zu dem eines kleinen, aber höchst edlen Juwels. Knobelsdorff, der König und ein Stab von Spitzenhandwerkern haben Innenräume geschaffen, deren phantasievoll-zierliche, immer abwechselnde Stukkaturen, Vertäfelungen, Intarsienfußböden und Möblierungen nicht nur an sich höchste Qualität haben, sondern zusammen mit Farben und Stoffen wechselseitig aufeinander bezogen den brillianten Gesamteindruck ausmachen.

Dieses «Schloß Sorgenfrei» ließ der König sich und seinen Freunden, deren Gebäudeteil dem königlichen architektonisch sogar völlig gleichberechtigt ist, quasi auf den Leib schneidern. Es war Zeit seines Lebens im Sommer Lieblingsaufenthalt, und für seinen Tod ordnete Friedrich der Große sogar an, neben seinen Windspielen am östlichen Ende der Terrasse begraben zu werden, «beim Schein einer Laterne und ohne daß mir jemand folgt, ganz schlicht und ohne jedwede Zeremonie …» Über diesen Wunsch hat sich sein Nachfolger, Friedrich Wilhelm II., hinweggesetzt. *(S. 4/5)*

Als selbständige Bauten, jedoch zur Anlage gehörig, befinden sich rechts und links des Schlosses die weitgehend baugleichen *Neuen Kammern (S. 25)*. Sie entstanden 1747 als «Orangenhaus» und wurden 1771–75 zu einer Folge von üppigen Gästezimmern und Festsälen mit reichen Marmorfußbö-

den aus dem gerade eroberten Schlesien umgebaut. Als Pendant hierzu die *Bildergalerie* (1755–63) mit einer sehr sehenswerten Sammlung flämischer und italienischer Gemälde des Barock, der älteste erhaltene und freistehende Museumsbau Deutschlands. *(S. 22, 23)*

Verspieltes Sanssouci: Sonnenemblem am Gartenpavillon.

PRAKTISCHE TIPS UND INFORMATIONEN

CAFÉS. Einen guten Überblick über die Cafés in Potsdam gibt der bei der Potsdam Information erhältliche Veranstaltungskalender. Potsdams «Café Kranzler» war lange das Café Heider am Nauener Tor. Wer seine Garderobe in einem fürstlichen Ankleidezimmer abgeben und in historischen Räumlichkeiten mit Originalmobiliar aus dem 18. Jahrhundert Kaffee trinken möchte, sollte unbedingt das Café im Neuen Palais besuchen. Das Drachenhaus im Park Sanssouci, eine von Friedrich dem Großen in Auftrag gegebene chinesische Pagode, ebenfalls noch mit Original-Einrichtung. Von hier aus lohnt sich auch der Schlenker zur Ruine des friderizianischen Belvedere.

HOTELS. Potsdam verfügt leider nicht über eine ausreichende Zahl von Hotelbetten. Es empfiehlt sich entweder eine sehr frühzeitige Anmeldung oder – im Hinblick auf eventuell vorkommende Stornierungen – das kurzfristige Anfragen auf gut Glück. Die drei ersten Häuser am Platz: ein Hotel der Luxusklasse ist das Schloßhotel Cecilienhof im Neuen Garten. Es folgen das Hochhaus des Interhotels Potsdam und das im Standard vergleichbare, allerdings intimere Hotel am Jägertor (Hegelallee 11). Die weiteren Übernachtungsmög-

lichkeiten erfragt man am besten bei der «Potsdam Information», die auch Auskunft über Jugendherbergen und Privatquartiere erteilt. Unter Umständen empfiehlt es sich, eine Unterkunft in Berlin zu suchen.

RESTAURANTS. Böse Zungen behaupten, daß erst die Hugenotten den Genuß von Frischgemüse in die Mark Brandenburg gebracht hätten, ansonsten aber auch nicht viel zur Hebung der dortigen Eßkultur beitragen konnten. Nichtsdestotrotz, man ißt in Potsdam von Fisch über internationale Spezialitäten bis zu Deftigem reichhaltig und recht abwechslungsreich, wenn man sich rechtzeitig um einen Platz bemüht. Wegen des Ambientes ist das *Fährhaus Caputh* besuchenswert, wo man in einer verglasten Veranda bewirtet wird und dabei die Treidelfähre über den Templinersee beobachten kann; im Mai 1990 leider noch wegen «Havarie auf unbestimmte Zeit geschlossen», in jedem Fall aber einen Versuch wert ist das *Gasthaus am Jagdschloß Stern*, einem barocken Seitengebäude des benachbarten kleinen Jagdhauses des Soldatenkönigs Friedrich Wilhelm I. in der Parforceheide.

VERKEHRSMITTEL. Potsdam ist mit dem Auto vom Berliner Ring, von West-Berlin aus auch über den Stadtteil Wannsee (Bundesstr. 1) gut zu erreichen. Der Potsdamer Hauptbahnhof liegt am Berliner Eisenbahnaußenring und ist damit an den Nahverkehr bzw. den Fernverkehr der Ost-Berliner Bahnhöfe angebunden. Vom West-Berliner S-Bahnhof Wannsee aus verkehren regelmäßig ein Pendelzug zum Bahnhof Potsdam-Stadt und der Autobus 99, der am Potsdamer Bassinplatz endet.

WEISSE FLOTTE. Fürstliche Lustbarkeit und Wochenendvergnügen der Einwohner Berlins waren die Kahn- oder Dampfpartien auf den Flüssen und Seen um Potsdam. Nach der Vereinigung der Weißen Flotten von Berlin und Potsdam im Winter 1989 lassen sich die Reize dieser seenreichen Region zwischen dem Spreewald im Südosten und der Seenplatte um die Obststadt Werder wieder grenzenlos genießen. Das Angebot reicht von kleinen Rundfahrten bis zu ganzen Tagestouren. Die Buchungen lassen sich von Ost- und West-Berlin aus erledigen.

ADRESSEN

HOTELS

Hotel Potsdam
Lange Brücke, Telefon 4631

Hotel Schloß Cecilienhof
Im Neuen Garten, Telefon 23141

Hotel am Jägertor
Hegelallee 11, Telefon 21834 / 21038

Hotel Babelsberg
Stahnsdorfer Str. 68, Telefon 7888

Jugendtouristenhotel
Werder (Havel)
Straße am Schwielowsee 110, Telefon 2850

Touristen- und Congreßhotel
Otto-Grotewohl-Straße 60, Telefon 86515

Hotel Hakeburg
Philipp-Müller-Allee 185, Kleinmachnow.
1532, Telefon 22858

JUGENDHERBERGEN

Jugendherberge «30. Jahrestag der DDR»
Eisenhartstraße 5, Telefon 22515

Ein Ausflug mit der Weißen Flotte gehört zum Pflichtprogramm.

WEISSE FLOTTE

Lange Brücke, Telefon 4241
Fährbetrieb:
Montag bis Freitag 10.00–15.00
Dienstag 13.00–18.00
Karten-Vorverkauf:
Montag bis Freitag 10.00–15.30

RUDERBOOTVERLEIH

Freundschaftsinsel, Auf dem Kiewitt 21a,
Templin
täglich 9.00–18.00

ZENTRALE CAMPINGPLATZ-VERMITTLUNG

Am alten Friedhof, Telefon 22248
Dienstag 9.00–12.00 und 14.00–17.30
Donnerstag 9.00–12.00 und 14.00–16.00
Freitag 9.00–12.00

VERLEIH VON CAMPINGAUSRÜSTUNG

An den Windmühlen 21a, Telefon 74054
ganzjährig geöffnet
Montag bis Freitag 8.00–16.00
Verleih von Zelten, Luftmatratzen,
Fahrrädern, Rodelschlitten, Ski

ÖFFNUNGSZEITEN DER MUSEEN

Bildergalerie
täglich 9.00–12.30 und 13.00–17.00
4. Mittwoch im Monat geschlossen

Chinesisches Teehaus
täglich 9.00–12.00 und 12.45–17.00
2. Montag im Monat geschlossen

Filmmuseum der DDR
Dienstag bis Sonntag 10.00–17.00

Jagdschloß Stern
Samstag und Sonntag 10.00–17.00

Neue Kammern
täglich 9.00–12.00 und 12.30–17.00
Freitag geschlossen

Neues Palais
täglich 9.00–12.00 und 13.15–17.00
2. Montag im Monat geschlossen

Orangerie
9.00–12.00 und 13.00–17.00
4. Donnerstag im Monat geschlossen

Römische Bäder
9.00–12.00 und 12.30–17.00
3. Montag im Monat geschlossen

Schloß Babelsberg, Museum
für Ur- und Frühgeschichte
Mittwoch bis Sonntag 9.00–17.00

Schloß Cecilienhof
Führungen täglich 9.00–16.15
4. Montag im Monat Ruhetag

Schloß Charlottenhof
täglich 9.00–12.30 und 13.00–17.00
4. Montag im Monat geschlossen

Schloß Sanssouci
Führungen täglich 9.00–12.30 und
13.00–17.00
1. und 3. Montag im Monat geschlossen

Wasserwerk Sanssouci
täglich 9.00–12.00 und 13.00–17.00
Montag und Dienstag geschlossen

Quellenverzeichnis

de Bruyn, Günter: Märkischer Dichtergarten. Fischer Taschenbuch Verlag, Frankfurt

Fontane, Theodor: Wanderungen durch die Mark Brandenburg

Heine, Heinrich: Reisebilder. Kindler Verlag, München

Heller, Gisela: Potsdamer Geschichten. Verlag der Nation, Berlin 1984

Hermann, Georg: Spaziergang in Potsdam. Kupfergraben Verlagsgesellschaft, Berlin 1986

Hoffmann, E. T. A.: Die Elixiere des Teufels. Bertelsmann Reinhard Mohn OHG, Gütersloh

von Hornstein, Erika: Adieu Potsdam. Kiepenheuer & Witsch, Köln 1969 und 1986

Kurth, Willy: Sanssouci – Seine Schlösser und Gärten. Henschel Verlag, Berlin 1968

Molina, Raphael: Der Spötter von Sanssouci. Friedrich der Große. Verlag Michael Miller, München 1971

Wiegand, Wilhelm, Prof. Dr.: Friedrich der Große. Verlag Velhagen & Klasing, Bielefeld und Leipzig 1922

Rieple, Max: Das französische Gedicht vom 15. bis 18. Jahrhundert. Goldmann Verlag, München

Wir danken allen Rechteinhabern und Verlagen für die freundliche Erlaubnis zum Nachdruck. Trotz nachdrücklicher Bemühungen war es nicht möglich, alle Rechteinhaber zu ermitteln. Wir bitten diese, sich an den Verlag zu wenden.

© VEB Tourist Verlag, Berlin/Leipzig: Karten auf Seite 48
Abdruck mit freundlicher Genehmigung des VEB Tourist Verlags, Berlin/Leipzig.

Alle übrigen Abbildungen stammen von Hauke Dressler

BUCHER'S POTSDAM
Konzeption: Axel Schenck
Graphische Gestaltung: Werner Poll
Anthologie: Antoinette Gittinger
Bildlegenden: Regina Kammerer
Redaktion: Claudia Daiber-Amann
Herstellung: Angelika Kerscher

© 1990 by Verlag C. J. Bucher GmbH, München
Alle Rechte vorbehalten
ISBN 3-7658-0666-8